전미우오링카
이야기

김예카 칸링 타오 오연우 정윤미 박부전

전미우오링카
이야기

발 행 일   2024년 6월 1일
지 은 이   박부전 정윤미 오연우
              타 오칸 링 김예카
기   획   박부전
편   집   김모정
디 자 인   구경자
발 행 인   권경민
발 행 처   한국지식문화원

출판등록   제 2021-000105호 (2021년 05월 25일)
주   소   서울시 서초구 서운로13 중앙로얄빌딩 B126
대표전화   0507-1467-7884
홈페이지   www.kcbooks.org
이 메 일   admin@kcbooks.org
ISBN   979-11-7190-024-4

전미우오링카
이야기

김예카　칸링　타오　오연우　정윤미　박부전

한국지식문화원
BOOK PUBLISHING

들어가며

5월 중순의 어느 날, 경기도 한 대안 학교에서, 고등부 1학년 소설 쓰기 특강을 의뢰받았다. 의사소통이 가능한 다국적 친구들과 한국 친구들이 섞여 있단다. 잠시 망설였지만, 강의료가 적다며 미안해하시는 부장 선생님의 말씀에 선뜻 하겠다고 했다.

한옥 체험반, 영화 음악반, 옷 만들기 반 등, 아이들이 흥미 있어 할 만한 많은 프로그램 속에 소설 쓰기반으로 배정된 친구들은 모두 5명, 베트남 친구 둘, 러시아 친구 하나, 한국 친구들이 둘이었다. 여느 고등학생들이 그렇듯 몇은 스스로 원해서 소설 쓰기반에 들어왔지만, 선택에 밀려서 하는 수 없이 온 친구도 있었다. 불만 가득한 몸짓으로 고개를 떨구고 있는 친구에게 "가위바위보에 져서 이곳에 왔구나?"라고 했더니 고개만 가만히 끄덕인다.

생각했던 것보다 한국말이 서툴렀지만, 걱정은 되지 않았다. 어른들에게서는 좀처럼 발견하기 어려운 무한한 상상력이 이들에게 있다는 것을 잘 알고 있기 때문이었다. 첫날 계획했던 소설 개념 수업을 과감히 빼버리고 상상력 놀이부터 시작했다. 시큰둥했던 아이들의 눈이 반짝거리며, 같은 사진에서 다양한 이야기들이 쏟아져 나왔다. 잘 알아듣지 못하는 것은 사진을 찍어 번역하는 등, 적극적으로 바뀌어 가는 친구들의 모습에서 역시 내 생각이 틀리지 않았음을 확인할 수 있었다.

그러나 소설은 상상력만 가지고는 쓸 수 없다. 자신의 생각과 감정을 서술자를 통하여 글로 풀어내야 하는데 서툰 한국어로 쓰기 작업을 한다는 것은 녹록지 않은 일이었다. 할 수 없이 우선 모국어로 쓰게 한 후, 번역 프로그램의 도움을 받아 한글로 번역하고, 아이 한나한나와 대화하며 이야기를 풀어나갔다. 묵묵히 아이들과 나를 도와주었던, 연우와 강태가 큰 힘이 되었다.

수업 시간 내내 자세 한 번 흩트리지 않고 이야기를 써 내려가던, 러시아 친구 예카, 공부 잘하고 모범생이라던 베트남 친구 타오, 발랄한 칸링, 특히, 자신의 의견과 상관없이 소설 쓰기 수업에 왔다던 베트남 친구 윤미는 한 차시, 한 차시 지날 때마다 진지하게 수업에 임했고, 마지막 소설 편집과 표지 제작에까지 열정을 보여 감동을 주었다.

16차시 수업으로 7월에 수업은 끝이 났지만, 미완성된 글을 완성하고, 편집하는 작업을 끝내느라 저 멀리 손을 내미는 가을의 문턱에서야 드디어 아이들의 책이 나오게 되었다. 비록, 한 친구의 글이 완성되지 않아 끝내 책에 실리지는 못했지만, 언젠가는 상처가 아물고 딱지가 앉으며, 지금보다 훨씬 단단한 글이 나오리라는 것을 안다. 이 작은 경험이 이들에게 의미 있는 첫걸음이 되기를 바란다.

지도 강사 박부전
인하대학교
국어문화원 연구원

TABLE OF CONTENTS

전미우오링카
이야기

상대를 이해하고 소통한다는 것은 1차적인 언어의 주고받음이
아니라 서로의 차이를 존중하고 마음으로 상대를 인정하는
것이다. 이미 다문화 사회를 살고 있는 지금, 우리는 마음 속
'마법의 무지개 말'을 찾아 진정한 소통의 의미를 되새겨 봐야
할 때다.

마법의 무지개 '말'

박부전

마법의 무지개 '말'

"Xin chao!"

"Привет!"

"Hello!"

마을의 아침은 항상 다채로운 인사와 함께 시작되었다. 아이들의 웃음소리가 새들의 지저귐과 어우러져 아름다운 하모니를 만들어 골목길 이곳저곳을 기웃거렸다. 이곳은 세계 곳곳에서 온, 가족들이 모여 사는 아주 작은 마을이다. 각자의 언어와 풍습은 달랐지만, 마을의 놀이터에서는 모두가 친구가 될 수 있었다.

후이는 베트남에서 온 소년으로, 그의 웃음은 마을에서 가장 밝았다. 그는 아오자이(Ao Dai)와 논라(Non La)를 사랑하며, CHAU YEU BA (I Love You Granny)를 즐겨 불렀다. 소피아는 러시아에서 온 귀여운 소녀로, 그녀의 눈은 항상 호기심으로 반짝였다. 그녀는 러시아의 민속춤을 추며, 나비처럼 팔랑팔랑 놀이터 주위를 빙빙 돌았다. 토마스는 유럽에서 온 소년으로, 모험을 좋아하며, 그의 발걸음은 언제나 가볍고 빨랐다.

하지만 알아듣지 못하는 서로의 말은 때때로 그들 사이에 단단한 벽을 만들었다. 후이가 재미있게 농담을 해도 소피아와 토마스는 웃지 못했고, 소피아가 할머니에게 들었던 옛날이야기를 해도 후이와 토마스는 고개를 갸웃거렸다. 놀이터에서는 누구나 친구가 될 수 있었지만, 때때로 그들은 코를 찡긋거리며 서로의 얼굴만 쳐다보았다.

그러던 어느 날, 마을 위로 신비한 무지개가 나타났다. 무지개는 7가지 색깔로 다리를 놓으며 모든 색깔이 하나로 어우러져 눈부시게 빛났다. 아이들은 호기심에 가득 차 무엇에 홀린 듯 무지개 아래로 모여들었다. 그 순간 무지개가 아이들을 감싸는 듯하더니 놀랍게도 서로의 말이 들리기 시작했다.

후이는 소피아에게 "Xin chao!"라고 인사했고, 소피아는 "Привет!"라고 대답했다. 토마스는 "Hello!"라고 왼손을 치켜들며 외쳤다. 그리고 그들은 모두 서로의 인사를 이해할 수 있었다. 마법 같은 순간이었다.

아이들은 이제 서로의 언어로 대화를 나누었고, 모두 아오자이(Ao Dai)를 입어보고, 소피아와 함께 손을 잡고 러시아 민속춤을 추었으며, 토마스의 모험 이야기에 귀를 기울였다. 그들의 언어는 각자 달랐지만, 무시개 아래에서, 그들은 한나의 언어를 사용하는 것처럼 웃고 떠들었다. 그들의 웃음소리는 마을을 가득 메웠고, 마을 사람들은 그 소리에 행복했다.

이제 이 마을은 예전의 마을이 아니었다. 그곳은 마치 세계 여러 나라의 작은 모형들을 담아놓은 보물 상자 같았다. 아이들은 각기 다른 언어의 노래를 불렀지만, 그들의 마음은 같은 멜로디가 되어 울려 퍼졌다. 그리고 그들의 따뜻한 우정에 온 마을은 오색의 마법으로 뒤덮였다.

아이들은 하오가 연주하는 đan bu의 리듬에 맞춰 러시아 민속춤을 추며 토마스와 함께 마을 곳곳을 탐험했다. 마을의 어른들도 아이들이 서로의 차이를 넘어서 우정을 쌓아가는 모습을 보며, 웃음 띤 얼굴을 끄덕였다.

그러던 어느 날, 마을 위로 불어온 건조한 바람이 무지개 위에 거대한 그림자를 드리웠다. 바람이 강해질수록, 무지개는 점점 힘을 잃어갔다. 처음엔 붉은색이 희미해지더니, 곧 주황색도, 노란색도 사라지기 시작했다.

"여러분, 무지개가 사라지고 있어요. 저기, 빨간색이 거의 안 보여요!"
후이가 소리쳤다.

"네, 주황색도 노란색도 사라지고 있어요. 왜 이러는 거죠?"
소피아가 금방이라도 울어버릴 듯한 목소리로 중얼거렸다.

하늘을 수놓았던 빨강이 주황이 노랑이 바람에 휩쓸려 마치 모래알처럼 흩어지고 있었다. 아이들은 무지개가 점점 사라지는 것을 보며, 발을 동동 굴렀다. 그들을 이어 주던 마법의 무지개다리가 끊어져 버렸기 때문이다. 아이들은 다시 서로의 말을 이해하지 못하게 되자, 마음의 문도 서서히 닫아 버렸다. 안은 소피아의 러시아어를, 소피아는 안의 베트남어를, 그리고 토마스는 둘 다의 말을 이해하지 못했다. 마을을 휩쓴 건조한 바람은 무지개와 함께 아이들의 웃음도 걷어가 버렸다. 이를 알게 된 어른들이 도와주려 했지만, 서로 다른 말은 각자의 말만 되풀이하고 있었다. 모든 것이 뒤섞여 하오의 연주는 더 이상 신선하지 않았고, 소피아의 춤도 시큰둥해졌다. 그리고 토마스의 모험 이야기도 더 이상 재미있지 않았다. 그러면서 그들이 만나는 날도 하루하루 줄어들었다.

아이들은 무지개가 사라진 이유를 알아내기 위해 마을의 지혜로운 할머니에게로 갔다. 할머니는 마을 끝의 아름다운 정원에 살고 있었다.

"할머니, 우리의 말을 서로에게 전해 주던 무지개가 사라졌어요."

할머니가 아이들에게 말했다.

"무지개는 너희들 마음속에서 피어난 것이란다. 서로를 이해하고 마음을 열 때, 무지개는 다시 나타날 거야."

아이들은 할머니의 말을 듣고, 마을의 가장 높은 언덕으로 올라갔다. 그곳에서 그들은 서로의 눈을 바라보며 마음의 그림을 그리기 시작했다. 그리고 그 그림처럼 서로 다른 색깔의 손을 마주 잡았다. 그들은 서로의 언어를 주고받고, 각자의 춤을 배우며, 다시 한 번 서로를 안아 주었다. 하지만 무지개는 다시 나타나지 않았다. 아이들은 섬섬 너 실망감에 빠져들었다. 후이가 베트남의 전통 음악을 연주해 보았지만, 소피아와 토마스는 그 음악의 아름다움을 느끼지 못했다. 소피아가 러시아의 민속춤을 추어보았지만, 안과 토마스는 그 춤의 의미를 이해하지 못했다. 토마스가 모험 이야기를 들려주었지만, 더 이상 그 이야기는 두 친구에게 닿지 않았다.

"우리가 서로의 말을 이해하지 못하니까……. 무지개도 우리를 이해 못 하는 걸까요?" 후이가 음악을 멈추며 말했다.

"아니야, 음악을 멈추지 마! 우리의 우정은 여전히 강해. We can bring the rainbow back!"

토마스가 고개를 끄덕이며 말했다.

"맞아요, 음악에 맞추어 우리 손을 잡아요. 우리의 이야기들이 우리의 함께 추는 춤이 우리를 반드시 이어 줄 거야."

아이들이 서로의 말에 귀를 기울이며, 둥근 원을 만들어 언덕을 돌기 시작했다. 그러자 마법처럼 아이들의 마음속에 무지개가 깃들기 시작했다. 후이, 소피아, 토마스는 서로를 꼭 껴안으며, 그들의 우정이 이룬 기적을 바라보았다. 무지개는 그들의 마음과 노래에서 비롯된 것이었다. 그들은 이제 서로의 언어를 완벽하게 이해하지 못해도, 서로의 마음을 이해할 수 있다는 것을 깨달았다. 마을 사람들은 아이들을 둘러싸고 박수를 쳤다. 그들의 노래와 춤, 이야기가 마을을 다시 한나로 만들었다. 이제 마을은 다시 일곱 색깔의 무지개가 서로의 아름다움을 칭찬했고, 아이들의 웃음소리는 예전처럼 마을 곳곳에 퍼져나갔다.

후이는 베트남의 전통 악기를 연주하며, 소피아는 러시아의 민속춤을 추며, 토마스는 유럽의 모험 이야기를 들려주며, 서로의 문화를 존중하고 축하했다. 마을은 세계의 모든 아름다움이 모인

곳이 되었다.

노래와 춤, 이야기와 웃음이 가득한 마을은 무지개처럼 다채로운 색깔로 다시 빛났다. 아이들은 그동안 무지개 말을 통해 서로를 이해했지만, 그들의 마음과 사랑이 진정한 마법의 무지개임을 깨달았다. 그리고 그들은 앞으로도 서로를 인정하며, 함께 성장해 나갈 것을 약속했다.

세상의 모든 언어로
우리 함께 노래해요
마음을 열고 손을 잡고
한나 되는 이 순간

다른 색깔, 다른 말로
우리 이야기 나눠요
무지개처럼 빛나는
우리들

서로 다름이 만나
함께 만드는 무지개
마법처럼 퍼져가는
사랑의 멜로디

우리의 노래, 우리의 마음

세상을 바꾸고
무지개를 다시 불러와
화합의 빛을 비춰요

　하늘에도 마법처럼 다시금 무지개가 그려지기 시작했다. 색색의 빛줄기가 한나씩 하늘을 수놓으며, 마을은 따스한 빛으로 가득 찼다. 후이, 소피아, 토마스는 서로의 손을 꼭 잡고, 그들의 우정이 만들어 낸 기적을 바라보았다. 그들의 눈가에는 감동의 눈물이 맺혔고, 마음은 기쁨으로 뛰었다.

　"사랑해."
　"Anh yeu em"
　"Я тебя люблю"
　"I love you"

웃음은 자신의 감정을 숨기기 위한 완벽한 것이다.
기다림은 어렵고 쉽게 포기되지만,
나는 여전히 그를 기다리고 있다.

그날, 그 해

정윤미

그날, 그 해

이날, 그 해. 우리는 처음 만났다.

이천이십년 미리고등학교 입학식.

나는 학교에 가기 위해 정신없이 가방을 챙겼다.

　"엄마, 학교 다녀오겠습니다"

　"어떡해. 나 지각할 것 같아, 지름길로 가야겠다."

　내가 교문에 거의 도착했을 때 누군가와 부딪혔다.

"아야!"

　앳된 여자아이의 외마디 소리가 들려왔다. 부딪힌 어깨를 부비며 고통스럽게 고개를 들어 올렸을 때, 이 세상에 없을 것만 같은 예쁜 여자가 보였다. 나는 그녀를 한참 멍하게 바라보았다. 그 아이는

　"미안해, 괜찮아?"

　걱정스러운 얼굴로 그녀가 물었다.

　하지만 그녀의 아름다움에 빠져 아무 말도 할 수 없었다. 그녀

는 나를 이해할 수 없다는 듯이 쳐다보더니 손등을 내려다보았다.

　"어머, 늦었네. 미안해, 나중에 연락할게."

　검은 머리카락을 날리며 멀어져가는 그녀를 바라보며 한 발짝도 떼지 못한 채 주저앉아 있었다. 한참 후에야 일어나서 학교로 달려갔다.

　"아, 살았다!"

　"선생님이랑 같이 오지 그러냐, 윤석!"

아이들이 웃으며 반겨준다.

　"하이 다행이다, 굿모닝 얘들아!"

내가 자리에 막 앉았을 때 선생님께서 교실로 걸어 들어오셨다.

　"안녕 얘들아,? 만나서 반가워"

　선생님이 왼손을 가볍게 올렸다 내리시고는 칠판 앞에 섰다.

　"자, 먼저 저를 소개하겠습니다. 김이천, 선생님 이름이에요. 앞으로 잘 부탁해요"

　온화한 미소를 지으며 말씀하셨다.

　"자, 그럼 이제부터 자기소개를 해볼까?. 여기 앞에 있는 친구부터."

　"안녕하세요. 저는 '이예은'이라고 합니다."

　"안녕하세요, 제 이름은…."

　"안녕하세요…."

　자기소개가 이어졌다.

　학기가 시작하면 매번 반복되는 재미없는 일상이다. 새롭게 이름을 다 외워야 하는데, 기억력이 좋지 않은 나는 이렇게 많은 친구들을 기억할 수 없다, 내가 재미없다는 듯 창밖을 내다보고 있는 동안. 한 여자아이가 일어나서 소개를 시작했다.

"안녕하세요, 저는 이서연이라고 합니다. 반갑습니다. 잘 부탁드립니다"

긴 머리카락을 쓸어 올리며 자기소개를 열심히 하고 있는 그녀는 몸집이 유난히 작았다. 나는 고개를 돌려 보았다. 나는 눈을 동그랗게 떴다.

"앗! 그녀…."

나는 그녀를 멍하니 바라보았다.

"예쁘다." 나도 모르게 입에서 속삭였다.

"아야 윤석! "윤석!! "이윤석! 너 차례야!"

갑자기 내 이름을 부르는 소리가 들려왔다.

나는 놀라서 벌떡 일어섰다.

"네!"

"안녕하세요! 저… 저는 이윤석입니다! 잘 부탁드립니다!"

더듬거리며 말하는데 자꾸 얼굴이 붉어졌다.

"이윤석!"

담임 목소리가 꿈결처럼 들려왔다.

"네!"

긴장도 되고 당황도 돼서 어떻게 해야 할지 몰라 두리번거리는데

"너 차례 아직 아니야."

선생님이 웃으면서 말씀 하셨다.

선생님의 한마디에 반 전체가 폭소를 터뜨렸다. 속삭이며 손가락질 하는 여학생들도 있었다.

"이윤석 봐라 재미있다! 하하하."

그 아이도 나를 보고 웃는다. 나는 책상에 주저앉았다. 창피했다. 얼굴이 토마토처럼 빨개졌다.

소개 시간이 모두 끝난 후에야 우리는 집에 갈 수 있었다. 정말 재수 옴 붙은 날이다. 그 순간 여자애 이름이 불현듯 떠올랐다.

"방서연…. 맞아. 이름 기억났어!"

내가 널 데려다줄게

　그 우연한 만남이 있은 지 2주가 지났다. 우리 반에서도 추첨을 통해 자리를 결정하는 방법을 선택했다. 그리고 나는 마지막 번호….

　"좋아!"

　내가 만족스러운 자리를 배정받아 싱글거리며 앉아 있을 때, 갑자기 길고 까만 머리가 바람에 날려며 내 얼굴을 스치고 지나갔다. 나는 내 옆에 있는 책상을 돌아보았다.

그녀다.

　"앗, 깜짝이야!"

그녀가 돌아서서 나를 보더니 커다란 눈이 더 커졌다.

　"아, 또 만났네."

그녀가 미소를 지으며 말했다.

나는 얼굴을 붉히며 대답했다.

　"또…. 또 만났네!"

"얼굴이 왜 그래? 너 아파? 왜 그렇게 빨개졌어?"

나는 더 민망해져서 우물쭈물했다.

"아니… 아니… 너무 더워서… 하하."

그녀가 나를 보며 미소를 지으며 말했다.

"너 정말 이상해."

나는 더 이상 버티지 못하고 일어섰다.

"선생님, 저 화장실 가도 돼요!"

"갔다 와."

"네!"

나는 뛰면서도 흔들리는 마음을 진정하기 위해 가슴에 손을 얹었다.

"뭐야? 나 왜 이래? 가슴이 계속 두근거려!"

"안 돼, 안 돼, 진정해, 이윤석! 흔들리지 않을 거야!"

나는 거울을 보며 손을 가슴에 얹고 말했다.

잠시 후 나는 교실로 돌아와 내 자리로 갔다. 점점 그녀의 옆에 앉는 것이 익숙해졌다. 학기가 조금 지나고 반장과 부반장 선거를 하였다. 우리는 성적과 성격을 보고 서로 추천했는데 뜻밖에도 그녀가 반장이 되었다. 그리고 김재욱이라는 남자아이가 부반장으로 뽑혔다. 반 친구들은 남녀 얼짱이 반장 부반장이 되었다고 좋아했다.

하교시간이 되어 우리는 교문으로 몰려 나갔다.

나는 멋진 자전거를 몰고 가서 친구들과 함께하려 했지만, 친구들은 이미 짝을 지어 집으로 가버리고 없었다. 쓸쓸히 자전거를 끌고 나오니 이딘기 낯익은 모습이 보였다.

그녀!

그녀가 갑자기 얼굴을 돌린다.

'울은 것 같은데?'

나는 문득 자전거를 멈추고 말을 붙였다.

"너…. 집에 가?"

그녀가 미소 지으며 대꾸한다.

"응, 너는?"

"나도 집에 가고 있어."

"그래? 그럼, 자전거 조심히 타고 가, 안녕."

"음, 너도"

나는 여전히 얼굴을 붉히면서 대답했다. 나는 그녀에게서 조금 멀리 도망가는 것이 최선이라고 생각했기 때문에 그녀를 혼자 남겨둔 채 걸어갔다. 하지만 마음이 불편했다. 그녀가 얼굴을 돌렸을 때 울었는지 눈이 빨개져 있는 모습이 생각났기 때문이다.

"아! 그냥 갈 수 없어."

나는 바로 자전거를 돌려서 최대한 빨리 발을 굴렀다. 그녀가 저 멀리 보인다. 얼른 달려가 앞에 자전거를 세우고 말했다.

"뒤에 타!"

그 여자애는 다시 돌아온 나를 보고 놀란 듯했다.

"빨리, 안 그러면 내가 안아서 태운다."

"으.. 응!"

그녀가 활짝 웃으며 자전거에 올랐다.

시험

　　그날 이후 나는 그를 집까지 태워다 줬고 그 이후로 우리는 서로에게 한마디도 하지 않았다…….

종소리가 울렸다.

　하지만 반 친구들은 그대로 교실 뒤 게시판 주위에 몰려 있었다. 그 곳에 있던 나는 친구들에게 떠밀려 옴짝달싹 할 수가 없었다.

　"서연아, 도와줘."

　"살려줘 서연아!"

　"응, 내가 도와줄게."

　　....

나는 그들이 시험에 대해 말하고 있다는 것을 그제야 알아 차렸다.

　"시험? 차라리 나 죽어 버릴래! 나 아무것도 몰라!"

정신없는 웅성임도 수업과 함께 잦아 들었다.

종례시간이 되어 담임 선생님께서 들어오셔서 말씀하셨다.

"3주 뒤면 시험이 있어요. 될 수 있으면 결석하지 말고, 수업시간에 잘 듣고, 집에 가서도 공부 열심히 하세요. 이제 해산!"

아이들이 앞을 다투어 교실을 나섰다.

'죽었다! 도서관에 가야겠네.'

주말이라 그런지 도서관이 몹시 붐볐다. 나는 자리를 찾기 위해 우왕좌왕하다가 그녀와 부반장이 함께 있는 것을 보았다. 그새 두 사람이 많이 친해졌나 보다. 서운한 마음이 슬며시 고 개를 들었을 때 갑자기 부반장이 일어섰다.

"나는 공부 다 했어. 서연이는 너에게 맡길게. 갈게. 안녕."

어깨를 툭 치며 귓속말을 했다.

"으응, 안녕"

부반장이 자리를 떠나고, 그녀가 나를 돌아보았을 때, 나는 손으로 얼굴을 가렸다.

"시험공부 하러 왔어?"

"으응!"

내가 대답했다.

"자리 찾았어?"

"아니 아직."

"여기 빈자리 있으니까, 이쪽으로 와."

얼굴이 자꾸 붉어졌다.

"방해하고 싶지 않아."

"옆에 빈자리 있으니까, 이쪽으로 와."

"방해하고 싶지 않아."

"이리 와, 여기 말고는 빈자리 없어. 그리고 아까 나한테 하고 싶은 말 잊지 않았어?"

나는 어쩔 수 없이 그녀의 옆으로 가서 앉았다.

"자, 이제 말해봐!"

"음, 그건…."

사실 물어보고 싶은 게 없는데 갑자기 목소리가 듣고 싶어서! 라고 말하면 진짜 민망할 것 같아. 안 돼, 안 돼…. 머리를 쥐어 뜯었다.

"아!"

"응?"

"아니야, 아니야."

"아 맞다, 아까 나랑 공부 같이할 수 있냐고 물어보고 싶었어!"

죽고 싶었다. 왜 내가 이렇게 말한 거지? 거절당할 거야, 안돼!

"응!"

"뭐, 뭐라고?"

그녀는 나를 보고 잔잔한 미소를 띠었다.

"'응'이라고 말했어, 지금부터 열심히 하자!"

여름방학

하아, 도서관에서 시험 보는 날까지 처박혀서 시험공부를 해야 돼. 지옥에 떨어진 것 같아. 그나마 서연이가 있어서 다행이다, 은혜로운 서연.

교실에 갔는데 다행히 아무도 없었다.

"좋아"

용기 내서 서연이한테 말을 걸려고 하는데….

"안녕."

"서연아!"

어디서 갑자기 한 무리의 여학생들이 몰려와 나는 한쪽으로 밀려나 버렸다.

"서연아, 이 노래 설명해줘서 시험 진짜 잘 봤어. 서연아, 고마워!"

"서연아, 우리랑 같이 아이스크림 먹으러 갈래?"

"서연아"

"서연아"

아이고, 나는 또 뒷전이군!

이런, 내가 말할 틈이 없어. 쟤네 왜 그렇게 서연! 서연이야. 하루 종일 말 한마디 못 하고. 어쩔 수 없지, 다음 기회에. 집이나 가자.

"아아아···. 드디어 탈출이다!"

학교에 지각하는 것을 두려워하지 않아도 되고, 침대에 누워 오후까지 잠자고, 새로운 애니메이션 영화도 즐기고, 늦게까지 게임까지 아무것도 두렵지 않다!! 역시 방학 천국!

내일부터 학교 안 가도 돼, 행복하다!!

"딩동댕동!"

침대에서 딩굴고 있는데 초인종 소리가 울렸다.

"석아, 가서 문 좀 열어줘."

"석!"

"네네."

이 밤에 누가 온 거야, 아··· 짜증 나.

"땡···."

"네네, 나갑니다."

문을 열었다. 내 눈앞에 긴 머리, 작은 몸매, 예쁜 얼굴이 여자아이가 서 있다. 서연이다!

"어? 윤석?"

"서..서연?" "또 만났네!"

"너 어떻게 된 거야?"

"아, 나 이사했어. 너희 옆집으로, 내방이 네 방 옆이야!"

웃으면서 말했다.

"아, 이거 선물이야, 받아"

"석아, 왜 이렇게 오래 걸려? 누구 왔어?"

어머니가 현관으로 나오셨다.

"석아."

엄마가 젖은 손을 앞치마에 문지르며 나오시다가 서연이를 보자마자 반색을 하며 말했다.

"여자 친구야? 잘 어울리네! 왜 여기 서 있어, 자자 어서 들어와!"

"네, 실례하겠습니다!"

나는 그녀가 아무런 저항 없이 어머니에게 끌려 들어가는 것을 보고 멍하니 서 있었다.

"뭐… 뭐지?"

같이 밥 먹자!

"윤석이 여자 친구야? 이름이 뭐야?"

"네, 전 방서연이라고 해요."

어? 방금 '네'라고 한 거 아니야? 내가 잘못 들었나?

"이름이 예쁘네! 이렇게 예쁜데 어떻게 윤석이랑 친구가 됐어!
호호, 같이 방으로 가있어"

엄마가 놀리 듯 빙글거리며 말했다.

"엄마!"

나는 얼굴을 붉히면서 그녀를 쳐다보았다.

"여기 앉으면 돼…?"

그녀는 앉아서 나를 쳐다보았다.

"이렇게 불쑥 찾아와서 미안해, 네 엄마가 하도 들어오라 해서
들어왔어."

"괜찮아, 우리 엄마 오지랖 때문에…. 귀찮게 해서 미안해."

"응."

.....

할 말이 없어!! 아 맞다, 지금이야!

"서연아, 나 너한테 할 말 있어"

"응? 무슨 일이야?"

"아, 그냥 고맙다고 말하고 싶었어. 이번 시험 잘 보게 해줘서 고맙다고."

내가 머리를 긁적이며 말했다.

"아니야! 나는 방법을 알려줬을 뿐이고 나머지는 네가 얼마나 열심히 하느냐에 달렸는 걸"

"아니, 네 덕분에 평균 이상의 성적을 받아서 방학이 이렇게 편해 졌어."

"하하"

"그런데 왜 이사했어?"

"환경을 좀 바꾸고 싶었는데, 네가 있는 곳일 줄이야."

"하하 정말 우연의 일치네"

"엄마랑 사니?"

"응, 아버지가 사고를 당해서 돌아가신 지 삼 년 정도 된 것 같아"

"아, 미안."

그녀의 눈이 슬퍼졌다.

"아니야, 괜찮아. 너는?"

"난 대부분 혼자 지내. 아버지는 자주 출장을 가시고, 엄마는 내가 어렸을 때 돌아가셨어."

그녀의 슬픈 표정을 보니 나도 슬퍼졌다.

"애들아, 저녁밥 준비했어."

어머니의 목소리가 들려왔다.

"아, 네!"

"늦었다, 이제 갈게."

서연이가 갑자기 일어섰다.

나는 놀라서 그녀의 손을 잡아당겼다.

"왜?"

"지금 집에 가면 혼자 밥 먹어야 하잖아? 같이 밥 먹자."

돼!

어느덧 방학이 끝나고, 우리는 다시 학교에서도 만났다.

"윤석아, 안녕."

"아! 서연, 안녕!"

그날 이후로 나는 엄마께 저녁마다 서연이와 같이 밥을 먹을 수 있게 해 달라고 부탁했었다.

"엄마, 서연이 아버지께서 출장에서 돌아오실 때까지 우리 집에서 같이 밥 먹을 수 있게 해주세요. 엄마 제발, 서연이가 혼자 집에서 저녁 먹을 것 생각하면 너무 슬퍼!"

"아, 네 여자친구라서?"

엄마가 웃으며 말씀하셨다.

"아니, 여자친구 아니야!"

"응? 그러셔? 어머! 어머! 그럼 어쩔 수 없지, 뭐, 같이 먹자. 네 여자 친구니까."

"엄마! 진짜 아니에요. 근데 너무 고마워요, 정말 사랑해요."

나는 얼굴을 붉히며 방으로 뛰어 올라갔다.

"우와! 좋아, 히히."

그녀와 저녁밥을 같이 먹은 지 한 달이 다 되어 간다. 방학 때도 보니까 너무 좋더라고…

"윤석아, 윤석아!"

나는 그때를 생각만 해도 웃음이 나왔다.

"아… 미안!"

"아니, 괜찮아."

"내 자전거에 타, 이참에 학교까지 데려다줄게."

"응, 고마워 윤석아."

"자 여러분, 방학 잘 보내셨나요? 다음 주에 소풍 갈 거니까 준비물 잘 챙기시고요. 여학생들은 모자 쓰고, 선크림 바르고 물 챙겨오고, 약간의 비상금 챙겨오세요."

여학생들이 이구동성으로 대답했다.

"넵, 좋아요. 선생님."

"아아, 너무 불공평해요. 선생님! 여자아이들만 챙기시고…"

-방과 후-

"윤석아 잠깐만,

"응?"

"김밥 좋아해?"

"좋아해, 왜?"

"아, 내가 도시락을 싸주고 싶어서…가능할지 모르겠지만…"

도시락을 싸준다고?

"그래!"

"응! 알았어!"

내 손 잡아

소풍 가는 날.

"얘들아, 한 명씩 줄지어 버스에 타고. 서로 밀지 마라, 빨리 자
리에 앉으세요."

드디어 모두 자리를 잡고 앉았다.

"나 여기 앉아도 돼?"

"아, 앉아도 돼"

부반장이다. 이제 눈 감고 기다리면 도착할 것이다.

길게 하품을 하며 기지개를 켰다.

"드디어 도착."

우리들은 줄지어 차에서 내렸다. 다섯 명씩 팀을 정하기로 했는
데 하필 친구가 아파서 오지 못했다.

어느 팀으로 갈지 두리번거리고 있을 때

"윤석아!"

나는 놀라서 얼굴을 돌렸다.

"응? 서연?"

"아, 이거……."

"서연아, 너 나랑 같은 팀 할래?"

"근데……."

서연이가 대답도 하기 전에 여자들이 몰려와서 결국 나는 물러설 수 밖에 없었다.

서연이가 친구들 사이를 빠져나와 나에게 왔다.

"이거 도시락이야, 도시락 만들어 준다고 했잖아"

"아, 맞다!"

갑자기 그녀가 내 손을 잡고 뛰기 시작했다.

"응? 서연아, 왜?"

나는 당황했지만 무턱대고 같이 뛰었다.

"저기 사람이 있는데 또 올까 봐, 지금 도망가자!"

"으응!"

잠시 후.

"아 힘들어! 충분히 멀어졌어! 넌 괜찮아?"

"음, 괜찮아"

"여기, 도시락, 가방에 넣어"

도시락을 가방에 넣다가 할 말이 생각났다.

"아 맞다! 혹시 팀 있어?"

"아니……. 아직, 어느 팀으로 갈지 모르겠어."

"그래? 너만 괜찮으면 우리 팀에 한 명 모자라! 우리 팀에는 나하고 부반장하고 남자 두 명이 있어."

"내가 가도 괜찮아?"

"그럼 괜찮고말고."

우리는 가벼운 걸음으로 선생님께 같은 팀으로 해 달라고 말씀드렸다.

-집합 시간-

"모두 팀 정했나요?"

호루라기 소리와 함께 선생님께서 큰 소리로 말씀하셨다.

일제히 대답한 후 각 팀끼리 모여 돗자리를 깔고 밥을 먹었다. 식사를 마치고 나니 오후가 되었다.

"밥 다 먹었으면 이제 모여서 게임을 하도록 하겠습니다. 모두 모이세요."

이곳저곳에서 웅성웅성 반 전체가 난리법석이다.

"집중, 집중, 조용히! 규칙은요!"

첫 번째는 선수가 게임을 시작할 때 맵을 가지고 30분 동안 물건을 찾아다닌다.

두 번째는 30분이 지나면 탈락!

세 번째는 가장 짧은 시간에 완주하는 사람이 승!

네 번째는 외부 도움을 받지 않는 것이다.

"한 팀당 두 명씩 돌아가면서 손전등을 하나씩 주도록 하겠습니다."

1등은 오십만 원.

2등은 삼십만 원.

3등은 십만 원 상금이 있어요.

자 이제 다시 팀을 정하고 30분 뒤에 집합."

"네!"

또 팀을 정하라고? 나는 문득 먼 곳을 보았다. 반장이랑 서연이…… 두 사람이 무슨 얘기를 하고 있는 것 같기도 하고, 짜증이 났다. 그런데 왜 짜증이 났을까? 그애와 나는…… 그냥 친구일 뿐이고 그녀에게 아무런 감정이 없다. 그렇지? 나는 그녀와 반장이 머리를 맞대고 주위를 두리번거리는 것을 보았는데, 그녀가 갑자기 나를 보더니 달려왔다.

두근두근 심장이 튀어나올 것 같다.

"윤석아!"

나는 귀까지 발갛게 달아오름을 느꼈다.

"윤석아. 너 얼굴 왜 그래?"

나는 급히 손으로 얼굴을 가리었다.

"아니야, 아무것도!"

그녀도 나를 보고 당황하는 듯했다.

"왜 왔어?"

"너랑 같이 있고 싶어서"

세상에, 한 번에 훅 들어오는 서연의 말에 나는 주저앉았다.

"윤석아! 괜찮아?"

"괜, 괜찮아!"

그 반짝반짝 빛나는 눈으로 해맑게 쳐다보는데 어떻게 안 부끄러워해!

"그럼…. 너랑 같이 해도 돼?"

"으…응!"

이제 팀 정리를 하고 팀장들이 순서를 뽑았다.

"아, 내가 일 번을 뽑았어."

"좋아."

날이 어두워진 탓에 얼굴이 약간 보라색으로 보였다.

"넌 괜찮아?"

"괜찮아…"

"이제 귀신의 집 물건 찾기 챌린지 대회 시작!"

"가자, 서연아"

"으…음…"

지도와 손전등을 받아 들고 서서히 앞으로 한 걸음씩 나아갔다.

"내가 먼저 가서 길을 비출 테니 넌 내 뒤를 따라오면 돼."

서연의 대답 소리가 들리지 않는다.

"서연?"

나는 몸을 돌렸다.

"너 왜 그래?"

그녀는 주저앉아서 몸을 떨고 있었다.

"난 어둠이 무서워!"

"뭐? 어둠을 무서워하는데 왜 이걸 해?"

"왜냐하면 나는 너와 둘이 있고 싶으니까."

얼굴에 불을 쏟아 부은 듯 달아올랐다.

두근두근하는 심장이 마음대로 날뛰었다.

이건 뭐지? 이상하다. 나는… 나는… 그녀가 좋아진 것 같아…

나는 갑자기 그에게 다가가 손을 내밀었다.

"내 손을 잡아."

"응?"

"네가 원한다면… 내가 너를 결승점에 데려다줄게."

"응! 고마워!"

서연의 비밀

    게임이 끝나고 우리는 상을 못 탔지만 우리는 서로 더 많은 이야기를 나누었다. 친구가 우리에게 무슨 일이 있었냐고 의심의 눈초리로 아래위로 쳐다보는 것을 보고 나는 그의 입을 틀어막고 옥상으로 끌고 갔다.

    "야!! 너 뭐해? 내 말이 맞지? 너랑 서연이 사귀는 거지?"

    "아니라고 했잖아!!"

    "그럼 왜 서연이만 보면 실실대는 거야. 의심스러워."

    "그거…."

    "너 그럼 서연이에게 무슨 꿍꿍이가 있는 거야?"

    "아니야! 바보야, 내가 어떻게 그럴 수 있어!"

    "그럼 왜?"

    "그냥……. 나는 걔가 좋아."

    "으악! 진짜?"

"그래! 좀 조용히 해."

마침 수업 시작하는 종소리가 울렸다.

"종 울렸어, 공부하러 가!"

그리고 그날 이후 친구는 아무 일도 없었다는 듯 조용했다. 그런데 그게 더 불안했다.

오후에 수업이 끝나고 집에 돌아가는 길에 서연이의 집 문을 두드렸지만, 아무 소리도 나지 않았다. 집에 가려다 문을 살짝 밀어 보았는데 문이 그대로 열렸다. 서연이가··문 앞에 쓰러져 있었다.

"서연?! 괜찮아? 서연!"

.

.

.

나는 더 이상 몸을 움직일 수 없다는 것을 느꼈다. 몸이 너무 무겁게 느껴졌다. 원래 학교 갈 준비하고 있었는데? 여기에 더 누워 있다간 학교에 늦을 텐데···. 엄마 도와줘···. 엄마 ···.

엄마는 내가 다섯 살 때 돌아가셨다. 그때 하늘은 별들로 가득 찼고, 사람들 모두 그것을 탐할 정도로 반짝이고 아름다웠다. 내가 별이 총총한 하늘을 보고 있을 때, 엄마가 나의 머리를 쓰다듬으며 말했다.

"서연아, 너 나중에 뭐 되고······."

엄마가 말끝을 잊지 못하고 숨이 멎을 듯 기침을 했다.

"엄마, 괜찮아요?"

"엄마 괜찮아! 자 얘기해 봐"

엄마는 얼른 피 묻은 수건을 가리셨다.

"나요? 나는 나중에 의사가 되고 싶어, 의사가 돼서 엄마의 병을 치료해 줄게. 엄마 안 아프게 해줄게. 엄마 내가 '호' 해줄게."

엄마는 울면서 나를 꼭 안았다.

"미안해, 너무 미안해, 이제 너와 같이 못 있을 것 같아. 너무 미안 해, 미안해…"

"엄마 울지 마요, 어른인데 아기처럼 울어요, 하하."

그때 난 아직 어려서 엄마가 무슨 말을 하는지 알 수 없었다. 그날 나의 어머니는 영원히 하늘의 별이 되셨다.

"아빠, 엄마 왜 왜 저 상자 안에 있어요?"

아빠는 말없이 울기만 했다. 그래서 더 속상했다. 누군가 뚜껑을 닫았을 때 나는 소리를 질렀다.

"아빠, 저 사람들 누구야. 왜 뚜껑을 닫는 거야? 엄마 있잖아"

나는 갑자기 뛰어가서 그들을 밀어내고 뚜껑을 열려고 했다.

"엄마…… 엄마, 내가 구해 줄게."

아빠는 나를 붙잡았고 나는 아버지를 세게 밀쳤다.

"아빠 뭐해, 놔줘! 엄마!"

어머니가 돌아가신 날 이후로 나는 어둠이 너무 싫고 무서웠고, 별이 빛나는 하늘도 싫어졌고, 그들이 제 주위 사람들을 빼앗아 갈까 봐 두려웠다. 그때부터 아버지는 항상 일에 몰두하셨고, 할머니가 돌아가

실 때까지 나를 키워 주셨다. 할머니와 지내는 동안, 나는 내내 슬펐고, 모든 것이 더 이상 나에게 어떤 의미도 주지 못했다. 나의 그런 모습을 보고, 할머니도 매우 슬퍼하셨다. 어느 날 밤 할머니는 이야기를 시작하셨다.

"사랑하는 손녀 서연아, 이야기 하나 해줄까?"

"네!"

나는 할머니 옆에 누워서 이불을 턱 밑까지 끌어 올렸다.

"옛날 옛날에 항상 우울했던 소녀가 있었는데, 어디를 가든 슬픔만 그의 옆에 있을 수 있었어요. 토끼가 그걸 보고 왜 그러냐고 물었죠. 토끼에게 우울한 이유를 말하니 토끼가 말했어요. 항상 웃으면 행운이 올 거예요. 자, 한번 해보세요. 당신이 웃으면 주위의 모든 것이 항상 빛날 거예요. "

할머니의 이야기를 들은 이후로 나는 항상 밝게 웃었고 슬픔을 느끼지 않으려고 노력했다.

"할머니, 항상 웃으면 내 소원이 이루어질까요?"

"그럼, 네가 항상 미소를 지으면 행운이 네게 올 것이고 소원이 이루어질 거야."

"네! 웃을게요, 소원이 이루어질 때까지 웃을게요!"

그것이 내가 항상 미소를 짓는 이유였고, 나는 자라면서 그것이 단지 위로의 거짓말이라는 것을 알았다, 하지만 나는 할머니를 탓하지 않았다. 이제 나는 나의 슬픔을 감추기 위해 다시 미소를 짓는다.

벚꽃 아래에서의 약속

한 소녀의 귀여운 목소리

"언젠가 우리가 헤어져서 만날 수 없으면, 이 벚꽃 아래에 와! 언제든 우리는 꼭 이 나무 아래에서 다시 만날 수 있을 거야. 약속하자!"

"응! 약속."

나는 문득 잠이 깼다.

"꿈인가?"

침대 옆을 보니 서연이는 아직 벽에 기대어 자고 있다. 아마 이야기를 하다 잠깐 잠이 들었었나 보다.

그날은 맑은 아침이었다. 내 나이는 다섯 살. 공원에서 엄마와 함께 있는 어린 소녀를 만났다. 단발머리에 모자를 쓰고 하얀색 드레스를 입었는데 너무 귀여웠다. 친구가 되고 싶었지만, 그녀에게 어떻게 다가가야 할지 몰라 벚나무 뒤에 숨어서 그녀를 쳐나보기란 했다. 잠시 후 그녀가 내게 다가오는 것을 발견했다.

"나랑 같이 놀래?"

마음을 들킨 것 같아 얼굴이 홍당무가 되었다.

"하하, 너 진짜 귀엽다."

사나이에게 귀엽다니 자존심이 상한다.

"아니! 나 안 귀여워!"

"응? 안 귀여우면은 뭐야?"

나는 홍당무가 된 얼굴을 옆으로 돌렸다.

"같이 놀자"

얼굴은 돌렸지만 발은 어느새 그녀의 뒤를 쫓고 있었다.

"엄마, 나 이 친구랑 놀아도 돼?"

"좋아, 원한다면."

"네."

그녀와 나는 술래잡기도 하고 돌팔매를 던지기도 하면서 놀았다. 시간이 가는 줄 모르게 저녁이 되어 헤어져야 했다.

"약속할래?"

"약속?"

"맞아! 우리 못 만나게 되면 이 벚꽃 나무 아래에 오기로 약속하자! 언제든 이 나무 밑에서 다시 만나는 거야."

"응 약속!"

그리고 그날 이후로 우리는 다시 만나지 못했다. 난 매일 그 벚꽃 아래에 가서 그녀를 기다렸지만 만날 수 없었다.

난 아직 그녀의 이름을 모른다. 내가 물어봤을 때.

"네가 맞혀봐."

어이가 없었다. 그러더니 이어서 내 이름을 묻는다.

"나도 기억이 안 나. 내 이름도 알 필요 없어."

"루, 루!"

갑자기 그녀가 누군가를 불렀다. 앞뒤로 살펴보았지만 아무도 없었다.

"누구 불렀어?"

"너 불렀지."

"근데 그거 내 이름이 아니잖아."

"몰라! 이제부터 네가 '루'야!"

어이가 없어서 쳐다보다가 대답해 버렸다.

"알았어…."

난 널 좋아해

다시 꿈속에서 5살의 기억과 만나고 있을 때 불규칙적으로 기침 소리가 났다.

"서연아, 괜찮아?"

서연이가 입을 가렸던 손을 내려다보고 있었다.

"피…"

나는 의사를 부르러 급히 달려 나갔다. 잠시 동안 그녀와 의사가 무언가 심각한 이야기를 하는 듯하더니 의사가 갔다. 나는 급히 방으로 들어갔다. 그녀가 슬픈 얼굴로 나를 올려다보았다.

"괜찮아?"

"괜찮지, 그럼."

억지웃음을 지으며 말하는 서연이의 모습에 화가 났다.

"괜찮아? 피를 토하는데 뭐가 괜찮아!"

그녀가 얼굴을 한쪽으로 돌렸다.

"미안…."

그녀는 아무 말도 하지 않은 채 고개만 떨구고 있었다.

"핸드폰 좀 빌려줘. 아빠한테 전화하고 싶어"

"으…. 응!"

밖으로 나가서 통화가 끝나도록 기다렸다.

"들어가도 돼?"

"응…."

그가 갑자기 울음을 터뜨렸다.

"응? 왜 그래? 울지 마, 미안해, 내가 잘못했어!!"

"네 잘못이 아니야, 내가 잘못했어."

나는 무슨 말을 해야 할지 몰라 그녀를 안아 주려 했지만, 그녀가 더 큰 소리로 울었다. 그날 이후 그녀는 보이지 않았다. 미국으로 유학 간다는 소문만 들을 수 있었다.

일주일 후,

힘없이 자전거를 타고 집에 돌아오는데, 담벼락에 기대어 서 있는 누군가의 그림자가 보였다. 그녀다!

심장이 멎는 것 같았다.

"너 왜 여기 있어? 어디 갔었던 거야?"

그녀의 미소가 쓸쓸해 보였다.

"작별 인사 하러 왔어."

"뭐?"

"치료하러 미국에 가"

"왜 그렇게 멀리 가?"

"나 폐암 말기래. 이제 치료를 받으러 가야 해."

내가 시무룩하게 말했다.

"얼마나 있을 거야?"

"모르겠어. 아마 몇 년… 아니면 돌아오지 못할지도…."

자전거에서 튕기듯 내려 달려가 그를 껴안았다.

"안 돼. 난 네가 그렇게 돌아오지 못할 곳으로 가도록 허락할 수 없어."

그는 나의 등을 토닥토닥 두드렸다.

"음… 꼭 다시 올 거야 약속해!"

"진짜? 약속했어!"

그녀가 갑자기 울음을 터뜨리며 내 가슴에 얼굴을 묻었다.

"난 네가 좋아. 오늘은 그냥 좋아한다고 말하고 싶어"

"뭐?"

"아가씨, 출발 시간이에요."

기다리고 있던 택시 기사가 재촉했다.

그녀가 나를 갑자기 밀어냈다.

"아니… 싫어. 가지 마!"

"착하지. 루"

"응?"

루라고 했어?

"벚꽃 나무 아래에서 만나자."

"꼭 벚꽃 나무 아래에서 만나"

나는 힘없이 주저앉았다.

벚꽃 나무…루?

나는 그제야 그해의 그 여자아이라는 것을 깨달았다. 난 울면서 절규했다.

"왜? 왜 너야? 어렵게 만났잖아. 나한테 왜 그러는데."

난 너를 좋아해. 마음속 깊이 널 좋아해. 기다릴게. 꼭 기다릴게.

5년 후,

"다녀올게요."

내 눈앞에 하얀 꽃잎 하나가 팔랑 내려앉았다. 5년 전 그녀와 헤어진 후, 나는 하루도 거르지 않고 우리가 약속했던 벚꽃 나무 아래로 갔다.

"오늘은 그녀가 돌아올까?"

나는 그 나무 아래로 단숨에 달려갔다. 언제나 그랬듯이. 하지만 누구의 그림자도 보이지 않았다. 나는 쓸쓸히 등을 돌렸다. 그런데 갑자기 목소리 하나가 들려왔다.

"루…."

나는 몸을 돌렸다. 내 눈앞에 그녀가 있다.

"오랜만이네!"

절벽에 다다랐다. 둘은 노을로 물든 바다를 보며
잠시 감상에 빠졌다. 요시에는 행복한 미소를
지으며 절벽 끝으로 걸어갔다.

카즈마 씨 이야기

오연우

카즈마 씨 이야기

　웅웅거리는 자동차 소음이 일정하다. 그 자동차 안엔 카즈마 씨와 그의 어머니 요시에가 타고 있다.

12월 20일

　카즈마 씨는 탁상에 있는 달력을 보고 한숨을 쉬었다. 정신없이 달려 온 끝엔 허무하고 남은 것 없는 연말이 있었다. 어떤 사람에게는 행복하고 따뜻한 연말이겠지만 카즈마 씨에겐 그저 '빚 상환 날짜가 버티고 있는 달'에 불과했다. 월세가 벌써 두 달이나 밀린 집에서는 꿉꿉한 곰팡이 냄새가 났다. 카즈마 씨는 생각했다.
　'지긋지긋해.'
　하지만 카즈마 씨가 해결할 수 있는 것은 아무것도 없다. 카즈마 씨가 있는 방 너머 누군가 힘겹게 빨래하는 소리가 들린다.

요시에는 차 창문을 열고 구름 한 점 없는 하늘을 지켜봤다. 아무리 차가 멀리 가도 달라지지 않는 하늘 풍경이 요시에는 야속했다. 요시에가 말했다.

"카즈마. 노래 좀 틀어줘."

카즈마 씨는 말없이 라디오를 틀었다. 마침 라디오에서는 추억의 가요 특집이 한창이었다. 그리고 어디선가 들어본, 기억 속에 희미하게 남아있는 노래가 시작됐다. 요시에는 그 노래를 아는지 가사를 틀리지 않고 흥얼거렸다.

"엄마가 좋아하는 노래야?"

"너를 한참 키울 시절 좋아했던 아이돌이야. 너는 고등학생 때 마사코라는 여가수를 좋아했었지?"

카즈마 씨는 대답이 없었다. 이제 막 도착해 주차를 하는 도중이라 말이 없었던 걸까.

"도착했어."

"이게 몇 년만의 봄소풍이야. 정말… 아름답다."

요시에는 차창 밖의 한적한 해수욕장을 보며 중얼거렸다. 하지만 그 바다는 곧 카즈마 씨에 의해 가려졌다. 카즈마 씨가 차 문을 열어주려고 차 문 앞에 섰기 때문이다. 요시에는 조심스레 차에서 내렸다.

"엄마, 산 타러 가자."

카즈마 씨가 밀었다.

하지만 산을 곧바로 오를 수는 없었다. 주차장에서 산까지 거리가 꽤 멀었다. 카즈마 씨와 요시에는 말없이 거리를 걸었다. 요시에는 기분이 좋아 보였다.

"카즈마, 봄에 오길 잘했어."

요시에가 떠들썩한 거리 풍경을 둘러보며 말했다. 카즈마는 조용히 고개를 끄덕였다.

1월 3일

눈이 펑펑 오는 한겨울. 카즈마 씨는 터덜터덜 자신의 집으로 가고 있었다. 요시에의 병원비 내역을 받아 오는 길이었다. 끝없이 늘어지는 숫자들에 카즈마 씨는 절망했다. 이젠 한숨도 나오지 않았다. 지금 당장 빚쟁이들이 자신을 발견해 정신을 잃을 때까지 때려주었으면 했다. 카즈마 씨는 죽어라 맞을 때보다 이 숫자가 더 무서웠다.

현관문을 열고 집에 들어간 카즈마 씨는 늦은 저녁이 차려진 식탁을 바라봤다. 그 식탁 의자엔 요시에가 앉아 있었다.

"카즈마, 늦었지만 저녁이야."

"……"

카즈마 씨는 아무 말 없이 외투를 옷걸이에 걸었다. 그리곤 식탁 의자에 앉았다. 카즈마 씨의 머릿속엔 수많은 숫자들이 떠다녀 밥도 깨작깨작 먹었다. 수많은 계산 끝에 결국, 카즈마 씨는 항상 같은 결과에 도달한다.

"엄마, 우리 산에 갈래?"

카즈마 씨의 말을 들은 요시에는 씁쓸했지만, 여전히 따뜻한 미소를 지었다.

"봄에. 지금은 너무 추우니까. 봄에 가자."

카즈마 씨는 제 말이 무슨 뜻인지 아는지 모르는지 그저 웃어 보이는 요시에를 바라봤다. 카즈마 씨는 순간 목구멍이 무거운 털뭉치에 막힌 기분이 들었다. 밥이 잘 넘어가질 않았다.

어디선가 단내가 나기 시작했다. 카즈마 씨가 어렸을 적 많이 맡아본 싸구려 설탕 냄새였다. 주변을 둘러보니 예상했듯 가까이서 솜사탕 파는 아저씨가 색깔 설탕을 보충하는 게 보였다. 요시에도 카즈마 씨도 잠시 생각에 잠겼다. 둘의 시간은 카즈마 씨가 아홉 살도 채 되지 않은 유년의 시절로 돌아간다. 카즈마 씨와 요시에는 가난했던 탓에 놀이공원조차 가지 못했는데, 그날은 요시에가 회사에서 보너스를 받아 놀이공원에 갈 수 있었다. 아침부터 신나게 여기저기 걸어 다니다 어린 카즈마가 다른 또래들이 솜사탕을 들고 가는 것을 보게 되었다. 하지만 여기서 먹을 수 있는 건 요시에가 싸 온 도시락뿐이었고 솜사탕을 살 돈으로 어린 카즈마의 양말을 하나 더 사는 게 나았다. 아니, 그래야 했다. 하지만 카즈마 씨는 어렸고, 요시에에게 떼를 썼다. 요시에는 당시 카즈마 씨의 엄마였지만 아직 어린 건 마찬가지였다. 요시에는 어린 카즈마에게 솜사탕 한나 못 사주는 게 괴로웠다. 그래서 요시에는 더운 여름날 아무도 하지 않으려 하는 인형탈 아르바이트를 했다. 그리고 일을 하는 도중 친구들과 있는 어린 카즈마와 마주쳤는데, 요시에는 도저히 아는 척을 할 수 없어 또 괴로웠다. 그럼에도 요시에는 어린 카즈마에게 솜사탕 만드는 장난감을 사주기 위해 꾹 참고 일을 했다. 그리고 드디어 장난감을 살 수 있게 되었을 때, 요시에는 장난감을 사서 집에 들어왔다. 방에서 만화책을 읽던 어린 카즈마는 장난감을 보더니 밝게 웃었다. 그리고 둘은 같이 솜사탕을 만들어 먹었다. 물론 집에 색깔 솜사탕 재료가 없어 하얀 솜사탕밖에 만들 수 없었지만 둘은 행복했다.

"솜사탕 두 개 주세요."

카즈마 씨가 생각에 잠긴 동안 요시에는 솜사탕을 사려하고 있었다. 정신을 차린 카즈마 씨는 요시에를 밀어내고 자신의 지갑에서 현금을 꺼내 아저씨에게 주었다. 그는 돈을 받고 나서 솜사탕을 만들기 시작했다. 이렇게 쉽게 살 수 있는 행복인데 그때 우린 왜 그렇게 어려웠을까.

솜사탕을 들고 길을 걷다 보니 거리를 지나가는 길고양이가 보였다. 길고양이는 걸어오는 카즈마와 요시에를 보고 도망가지 않고 멈춰 섰다. 카즈마 씨는 문득 중학생 시절 키웠던 고양이 하루가 떠올랐다. 어릴 적 강아지를 키우고 싶다고 졸랐던 어린 카즈마를 위해 요시에는 길고양이를 데려왔다. 어린 카즈마는 요시에가 데려온 길고양이 하루를 미워했고, 온종일 게임만 하며 하루와 놀아주지 않았다. 가끔씩 하루가 어린 카즈마 씨를 방해하면 하루를 방에 가두고 다시 게임을 하기도 했다. 하지만 학원에 다니지 않는 카즈마는 온종일 하루와 붙어 있다 보니 둘은 점점 정이 들었다. 그래서인지 나중엔 사춘기에 들어선 어린 카즈마도 요시에게 사랑한다는 말을 했었다.

길고양이는 요시에의 옆까지와 작은 몸을 그녀의 다리에 부볐다. 요시에는 하루야 하며 고양이의 머리를 쓰다듬었다.

"카즈마, 이 고양이, 정말 하루 같지 않니?"

"응, 털 색깔도 하얀색이네."

"꼭 예전으로 돌아간 것 같아."

우린 산 입구에 도착했다. 카즈마 씨는 점점 속이 메스껍고 심장이 빠르게 뛰었다. 하지만 요시에는 아무렇지도 않아 보였다. 둘은 산을 오르기 시작했다. 계속 오르다 보니 길이 만들어지지 않은 곳까지 다다르게 되었는데 그곳에서 카즈마 씨는 발을 헛디뎌 무릎이 까졌다. 뻣뻣한 바지를 걷어 올려 무릎을 살피니 피가 꽤 많이 흐르고 있었다. 침착한 카즈마 씨와 달리 요시에는 조금 초조해 보였다.

"괜찮아 엄마."

"그런데 피가 정말 많이 나잖아……."

"괜찮다니까."

"기다려 봐 카즈마, 엄마한테 밴드 있어. 일단 이거 붙이고 그만 내려가자."

카즈마 씨는 순간 옛 기억이 떠올랐다. 카즈마 씨가 13살쯤 되었을 때, 똑같이 산을 올라가다 넘어져 무릎이 까진 적이 있다. 등산을 싫어했던 이런 기즈마가 투덜거리며 설렁설렁 걷다 그만 나무뿌리에 발이 걸려 넘어진 적이 있었다. 그때 정말 신나게 산을 오르던 엄마의 얼굴이 한순간에 어두워졌었다. 그러게 왜 산에 왔냐며 어린 카즈마 씨는 화를 냈고, 요시에는 후회했다. 그렇게 말없이 다시 산을 내려갔던 때를 카즈마 씨는 기억의 한 편에서 내내 지울 수 없었다. 순간 카즈마 씨에게 젊었던 요시에와 지금의 요시에가 겹쳐 보였다. 까진 무릎보다 심장이 더 아려왔다. 카즈마 씨의 눈에서는 뜨거운 눈물이 흘렀다.

카즈마 씨의 입술이 옴짝거렸다.

"미안해. 미안해 엄마. 내가 다 잘못했어. 내 잘못이야."

요시에의 얼굴에는 인자한 미소가 떠올랐지만, 눈꼬리에 눈물이 어렸다.

"아니야, 내가 미안해. 무엇이든, 그게 뭐든 미안해."

요시에의 눈에서도 카즈마 씨와 같은 눈물이 흘렀다.

절벽에 다다랐다. 둘은 노을로 물든 바다를 보며 잠시 감상에 빠졌다. 요시에는 행복한 미소를 지으며 절벽 끝으로 걸어갔다. 카즈마 씨는 그런 요시에의 손목을 붙잡았다.

"엄마, 우리 안아본 지가 정말 오래다."

"그러네."

요시에는 여전히 행복한 미소로 답했다. 카즈마는 절벽 끝에 선 요시에에게 달려가 그녀를 힘껏 안았다. 카즈마 씨는 순간 숨이 멈추는 것 같았다. 눈을 질끈 감으니 유년 시절의 기억에 빠르게 스쳐 가고 둘의 중심이 절벽 밖으로 쏠린다.

서로의 귓속에 '사랑해'라고 속삭인다.

둘의 그림자가 뜨거운 노을 속으로 사라진다.

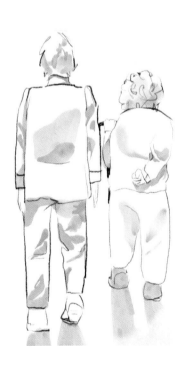

가끔은 세상에서 최선을 다하면 원하는 결과를
얻을 수 있는 게 아니에요.
때로는 약간의 변수가 생깁니다.
그 변수들 덕분에 뭘 해야 할지 알 수 있어요.

내 인생의 목표

타 오

내 인생의 목표

소이는 임신 사실을 안 날부터 행복했지만, 마음 한구석에서는 작은 불안감을 떨칠 수 없었다. 그녀는 곧 태어날 작은 선물을 맞이하게 되어 매우 기뻤다. 하지만 한편으로는 아이가 어떻게 성장해 줄까에 대한 걱정이 앞섰다. 이것은 그녀의 기분을 자주 오르락내리락하게 했다. 소이의 남편은 모녀의 건강 상태가 너무 걱정돼 의사에게 상담을 부탁했다. 의사는 아기에게 매일 시간을 내서 이야기를 들려줄 것을 권했다. 그날부터 매일 저녁 그녀와 그는 잠자기 전에 잠깐 시간을 내서 아이와 이야기를 나눈다. 그런데 소이 남편은 오늘 손님 접대를 해야 해서 늦게 들어올 거라는 말을 하고 출근했다. 남편이 돌아오기를 기다리는 동안, 그녀는 배 속의 아이에게 자신의 인생 이야기를 들려주기로 했다.

소이는 어릴 때부터 아버지가 아들을 더 소중하게 생각했기 때문에 그렇게 많은 사랑을 받지 못했다. 어머니는 아들을 낳지 못했다는 이유로 가정에서 목소리를 낼 수 없었고, 남편이 원하는 것을 해야 했다. 그러나 그녀가 남편에게 질 수 없었던 단 한 가지는 딸이 다른 친구들처럼 제대로 공부하도록 하는 것이다. 엄마는 딸만은 자신과 달리 공부를 많이 하여 좋은 직업을 갖기 원했다. 소이는 엄마의 소망대로 공부에 집중하느라 친구가 별로 없다. 그녀는 어렸을 때부터 같이 자라온 단 한 명의 친구만 있을 뿐이다. 그녀는 많은 노력 끝에 자신이 좋아하는 대학에서 심리학을 전공했다. 그녀가 심리학을 전공한 이유는 다른 사람의 인간성을 판단하는 능력이 있었기 때문이다.

대학 시절, 아버지는 그녀가 대학에 가는 것을 좋아하지 않았기 때문에 그녀는 기숙사에서 살기로 결정했다. 예쁜 외모로 많은 사람들에게 사랑을 받았고 많은 사람들이 그녀를 추앙했다. 그녀에게 데이트를 청했던 많은 남자들이 소이의 거절에 실망하여 돌아섰지만, 오직 한 사람 준우만은 끈질기게 그녀를 따라다녔다. 결국 그녀는 그를 받아들이기로 했다. 그들은 더 행복하고 더 나은 미래를 위해 함께 노력했다. 그는 그녀에게 항상 가장 좋은 것을 주고, 싸우더라도 항상 먼저 화해를 청했다.

그러던 어느 날, 그녀는 준우가 다른 여자의 어깨를 가볍게 토닥이며 밝은 웃음을 짓는 모습을 목격했다. 다음날 준우는 소이에게 만나기를 청했다. 학교 운동장 아래에서 서성이며 그녀를 기다렸다. 그녀기 발그레한 얼굴로 다가왔지만, 그는 전혀 신경이 쓰이지 않았다.

"나, 사랑하는 사람이 생겼어…. 더 이상 너를 사랑하지 않아."

그가 말했다.

"아니야. 그렇지 않아. 그저 잠깐 열병을 앓고 있는 거야."

소이는 그의 말을 아랑곳하지 않고 말했다. 하지만 그는 그녀에게 아무런 대답도 하지 않았다. 그녀는 자존심이 상해서 몹시 화가 났다. 계단을 내려가는 그를 한 여자가 따라가 그의 볼에 부드럽게 키스했다. 그 장면을 보고 놀란 소이는 한 발짝도 움직일 수가 없었다. 그녀는 마음이 아팠지만, 그와 헤어지기로 결심했다. 그녀는 그의 변명을 듣고 싶지 않아 먼저 헤어지자고 말하고 그의 모든 연락을 끊어 버렸다. '배신'이라는 말이 귓가에서 떠나지를 않아 아무 일도 할 수 없었다. 다음 날, 그녀의 유일한 친구가 그녀를 위로하러 왔고, 그녀와 이야기를 나누며, 이 많은 추억, 슬픔, 사랑을 잊기로 했다.

일주일, 이주일이 지났지만, 배신감은 가시지 않았다. 소이는 이 사랑을 빨리 잊기 위해 공부와 자기 계발에 몰두했다. 그녀는 그에 대해 아무 생각도 하지 않으려 했다. 그 열정으로 그녀는 학교의 우수한 학생 중 한 명이 되었고 장학금으로 유학을 갈 기회를 얻었다. 결국 그녀의 노력이 보상을 받은 것이다. 그녀의 어머니는 이 소식을 듣고 매우 기뻐했고 딸을 매우 자랑스러워했다. 그녀의 유일한 친구도 그녀의 유학 소식을 매우 기뻐했다. 그녀의 대학진학을 마땅치 않게 생각했던 아버지도 마음을 바꾼 듯했다. 그는 자신의 딸 소이가 그렇게 현명하고 아름다울 수 있을 줄 몰랐다. 그러나 그녀의 어머니는 딸이 공부하기 위해 낯선 곳으로 가야 하는 것이 매우 슬프고 걱정됐다. 그녀는 학교에 가기 위해 서류 절차를 마치고, 부모님과 함께 외국에 갈 때 필요한 것들을 준비했다. 그 기간 동안, 그녀는 엄마와 더 많이 함께 있고, 이야기하고 쇼핑하려고 노력했다. 그녀가 유학을 가는 날, 공항에서 가족과 친구에게 작별 인사를 했다.

"4년 후에 건강한 모습으로 올게요."

아버지가 그녀를 마지막으로 꼬옥 안아 주었다. 그 순간 그녀는 어린 아이처럼 울음을 터뜨렸다. 아버지와의 포옹을 끝으로 14시간의 비행 후에, 그녀는 4년 동안 지낼 아름다운 나라에 도착했다. 그녀는 공항을 나서며 성공해야 한다고 스스로에게 말했다. 학교 대표가 그녀를 공항으로 마중 나와 학교 기숙사로 데려다주었다.

소이가 착륙한 후에 처음 한 일은 부모님께 문자를 한 것이다.

"엄마, 아빠, 저 잘 도착했어요."

그녀는 이 나라에 온 날 얼마나 낯설고, 얼마나 많은 감정이 밀려왔는지. 그리고 마침내 그녀가 원하던 나라에 도착했다는 것을 믿을 수 없었다. 학교로 가는 길에 그녀는 거리를 거닐며 아름다운 풍경을 찍는 데 몰두했다. 소이는 학교의 고풍스럽고 고급스러운 아름다움에 압도되었다. 기숙사 사감은 그녀를 데리고 학교 이곳저곳을 둘러보며 교정과 강의실을 보여 주었다.

"이 방을 사용하면 돼요. 룸메이트와 같이 지내면 되고, 필요한 거 있으면 부탁해요. 그리고 이틀 뒤 6시에 신입생 환영회가 있어요. 시간 맞춰 오세요."

친절하지만 형식적인 말을 마치고 사감은 왔던 길을 되돌아갔다. 소이가 고맙게 생각하고 그녀의 짐을 정리하고 있을 때 그녀의 룸메이트가 들어왔다. 룸메이트인 한나는 싱가포르에서 태어나고 자랐다. 한나는 매우 아름답고 이해심이 깊은 소녀로 그녀보다 한 달 정도 앞서 학교에 왔다. 소이는 룸메이트가 있어서 기분이 좋았다. 그녀는

"나는 한 달 전에 이곳에 왔어"

하고는 방을 소개하며 내일 은행카드 만들 때 그녀를 데려가겠다고 말했다. 그리고

"미안해, 요리를 할 줄 모르니 오늘 저녁은 학교 식당에서 먹자!"

"괜찮아, 내가 요리하면 돼. 내일 같이 마트 갈 수 있어?"

소이는 한나가 너무 좋았고 앞으로 4년 동안 즐겁게 지낼 수 있기를 바랐다.

장거리 비행을 한 탓인지 너무 피곤해서 밥을 먹자마자 침대에 누웠다. 하지만 시차가 너무 커서 그런지 그녀는 오랫동안 잠들 수 없었다. 갑자기 전 남자친구 준우의 기억이 떠올랐다. 시간이 이렇게 빨리 갈 줄 몰랐는데, 벌써 1년이 되었다. 마음속에 떠오른 모든 기억이 그녀를 매우 슬프게 했다.

다음 날 아침, 룸메이트 한나는 아침 일찍 쇼핑하러 갈 준비를 했다. 슈퍼마켓이 학교에서 꽤 멀기 때문에, 소이와 한나는 슈퍼마켓에서 요리할 재료를 많이 샀다. 소이는 기숙사에 도착하자마자 요리를 시작했다. 한나는 한국음식을 즐길 수 있다는 생각에 매우 흥분했다. 드디어 한 시간 만에 요리가 완성되었다. 소이는 한나의 음식평을 매우 초조하게 기다렸다. 역시 한나는 그녀가 만든 음식을 좋아하며 어떻게 그렇게 잘할 수 있는지 물었다.

"대학 다닐 때 혼자 살아서 혼자 요리해야 했어. 처음에는 요리를 너무 못해서 친구에게 이제부터 요리하지 말라는 이야기도 들었

어. 그때부터 잘해야겠다고 결심하고 노력했어."

한나도 요리를 배우고 싶었지만 할 수 없었다. 그녀는 자신이 요리한 음식을 먹고 식중독으로 입원한 적이 있다. 소이는 한나의 이러한 이야기를 듣고 크게 웃었다. 그들은 서로에 대한 이야기를 나누며 음식을 즐겼다. 소이는 한나의 이야기를 듣는 것을 좋아했다. 그녀가 겪은 일들 한나한나가 재미있고 활기 넘친다고 생각했다. 그녀는 이 세상의 모든 것에는 이유가 있고 어떤 어려운 일이든 항상 좋은 해결책이 있을 거라고 생각했다. 그리고 이 긍정적인 에너지를 배워야겠다고 생각했다. 그동안 소이는 항상 생각에 잠겨서 누구에게도 도움을 받지 않으려 했고 친한 친구들에게조차 이야기하는 것을 꺼렸다. 하지만 이제 소이도 마음을 열고 새로운 것에 적극적으로 다가갈 수 있을 것 같았다.

소이는 저녁을 다 먹고 한나와 함께 청소를 했다. 그녀는 활기찬 하루 후에 편안함을 느끼며 따뜻한 물에 몸을 담갔다. 그녀는 부모님께 전화해서 오늘 저녁 식사에 대해 그리고 룸메이트에 대해 이야기했다. 그 후 그녀는 어릴 적 친구 소영이에게도 문자를 보내 오늘 일을 이야기 할 수 있어서 기뻤다. 하지만 그녀는 이것이 새로운 여정의 시작에 불과하다는 것을 알았다. 그녀는 앞길이 험난할 것이라는 것을 알았지만, 어떤 일이든 할 수 있다고 믿었다.

"오늘 식사 고마웠어. 푹 자고 예쁜 드레스 입고 내일 파티에 가자."

소이는 긍정적인 에너지로 지친 하루를 마무리했고, 한나 역시 내일을 고대했다.

다음 날 아침, 그녀는 일찍 일어나서 학교 근처 공원에서 조깅을 했다. 이 공원은 어제 한나가 마트에 가면서 이야기해 준 곳이다. 그녀는 해가 뜨는 광경을 보며 달린다. 그녀는 한 시간 정도 조깅을 하고 기숙사로 돌아왔다. 그녀는 아침 식사를 빨리 간단히 한 후, 커피 한 잔을 마시며 발코니 밖 학교를 내다보았다. 그녀는 자기 주변의 모든 것을 관찰하는 것을 매우 좋아했다. 그녀는 거리, 나무, 동물 그리고 사람들을 구경했다. 이것 또한 그녀의 습관인 것이다.

한나와 소이는 저녁 파티를 위해 서둘러 식사를 하고 청소를 했다. 소이는 이 파티에 무엇을 입어야 할지 고민했다. 그녀는 마침내 작년 생일에 친구가 그녀에게 준 드레스를 선택했다. 그녀의 몸매를 돋보이게 하는 드레스는 우아함과 약간의 매력이 섞여 있었다. 그녀의 친한 친구는 그녀가 이런 스타일을 입는 것을 본 적이 없기 때문에 이 드레스를 선물하고 싶다고 말했다. 소이는 평소 학교에 갈 때는 화장을 잘 안 한다. 그래서 한나가 메이크업을 해주었는데, 소이는 거울에 비친 자신을 보고 깜짝 놀라며 즐거워했다. 두 사람은 재빨리 파티장소로 이동했다. 그녀가 파티에 들어가자, 모든 사람이 그녀를 향해 주목했고 그녀가 누구인지 궁금해 했다. 그녀는 처음에는 사람들이 자신을 주목하는 것을 약간 부끄러워했지만, 곧 마음을 가다듬고 파티에 합류했다. 같이 얘기도 하고 한나와 함께 케이크를 먹으며 음악을 즐겼다. 소이는 많은 사람들이 한나와 자신에게 이야기를 나누러 와서 기뻤다. 그런데 소이를 한참 보고 있던 남자가 다가와 같이 춤을 추자고 하였다. 그녀는 약간 망설였지만, 한나의 응원에 용기를 내어 그와 함께 춤을 췄다. 그는 소이의 외모를 칭찬하며 추근거렸지만, 그녀는 그저 웃으며 고맙다고 말하고 제자리로 돌아왔다. 그녀는 아직 마음을 열 준비가 되어있지 않았다. 또 상처받고 배신당할까 봐 두렵다. 파티의 분위기가 점점 뜨거워져서 모두가 음악과 춤을 즐겼다. 그녀는 이 파티에 올 수 있어서 기뻤다. 여기서 그녀는 새로운 것을 배우고 사람들과 이해하는 것에 대해 생각했고 새로운 친구들을 사귀었다. 그들은 그녀에게 재미있는 농담을 건넸다. 그런데 친구 한나가 술을 너무 많이 마셔서 집에 돌아가기로 했다.

파티가 끝난 후에 그녀의 생활은 평범하게 계속되었다. 그녀는 도시를 돌아다니며, 친구들과 부자에 대한 이야기를 나누고, 운동을 하고, 요리를 하며 자신을 발전시키기 위해 책을 읽었다. 파티가 끝난 후 가장 큰 변화는 그녀에게 많은 대화를 나눌 새로운 친구가 생긴 것이다.

그녀는 점차 마음을 열고 새로운 것을 배우기 위해 더 많은 친구를 사귀었다. 그녀의 새로운 친구들 덕분에 영어 실력도 향상되었다. 그녀는 가끔 밖에 나가서 쇼핑을 하고 사람들과 이야기를 했다. 그리고 학교에 처음 나간 날, 그녀는 매우 흥분해서 일찍 눈이 떠졌다. 한나와는 전공이 같지 않아서 같이 갈 수 없었다. 수업 시간에 많은 학생들이 참여했고, 분위기는 활기찼다. 소이가 다른 학생들과 이야기를 하고 있을 때 꽤 나이가 들어 보이는 교수님이 들어왔다. 선생님은 심리학으로 유명한 사람 중 한 명이다. 교수님은 학회로부터 많은 상을 받았고 그에 대한 기사도 많이 실렸다. 그는 말을 재미있게 하지만 강의할 때는 매우 진지하다. 수업은 두 시간 동안 계속되었다. 수업이 끝나고 점심시간이 되있다. 때때로 유창하지 못한 언어는 그녀가 선생님의 강의를 완전히 이해하는데 방해가 된다. 그녀가 들어본 적이 없는 전문용어들이 나오면 소이는 재빨리 단어들을 적었다. 노트 정리를 끝내고, 배고픔을 해소하기 위해 편의점으로 내려갔다. 오후에 컴퓨터 과목을 수강하기 위해 잠깐의 산책을 마치고 강의실로 갔다. 컴퓨터 강사는 매우 아름다운 여자 선생님이었기 때문에 많은 남학생들이 이 과목을 신청했다. 그녀는 꽤 일찍 강의실에 도착했다. 수업은 아주 매끄럽게 진행되었다. 하지만 처음이라 그런지 수업에 내용은 별로 없다. 그리고 가끔 선생님 말씀을 이해하지 못하면 한나가 다시 설명해 줄 것이다. 이 수업에서 그녀는 많은 친구들을 만났다. 방과 후 그녀는 집으로 바로 가지 않고 한나와 함께 학교에 머물렀다. 두 사람은 함께 잔디밭에 나가 친구들과 이야기하고 공부도 하며 시간을 보냈다. 그녀는 잔디 위에 누워서 아름다운 하늘과 아름다운 구름 그리고 하늘을 나는 새들을 바라보았다.

저녁을 먹고 나서 그녀는 방으로 돌아와 오늘 수업을 복습했다. 그녀는 전문용어를 다시 보고 듣고 기억하려 애썼다. 왜냐하면 그녀는 나중에 그것을 자주 사용할 것을 알았기 때문이다. 하루를 마무리하기 위해 그녀는 재빨리 이를 닦고 피부를 관리하며 친한 친구 소영에게 전화를 거는 것으로 하루를 마무리하였다.

다음 날 아침에는 수업이 없어서 평소보다 조금 더 자고 일어나서 영어 보충 수업을 받기 위해 조금 걸었다. 그녀는 평범한 일상이 매우 행복했고 첫 주라서 수업도 그리 어렵지 않았다. 그녀는 매일 학교에 다니며 열심히 수업을 듣고 때때로 학교 봉사 프로그램에 참여할 것이다. 그녀는 친구들과 수업을 의논하고 잡담을 하고 부모님께 안부 전화를 할 것이다. 사람들은 그녀의 삶이 매일 그러리라고 생각했고, 어려움은 없었다.

하지만 현실은 그렇지 않았다. 소이는 외국에서 혼자 살면서 너무나 많은 어려움을 겪어야 했다. 전공은 많이 배울수록 더 어렵고 영어로 공부해야 하기 때문에 그녀가 이해하지 못하는 내용이 많았다. 교사들은 많은 전문적인 언어를 사용하는데, 이는 소이의 학습의욕을 심하게 떨어뜨렸다. 그런 일들은 그녀가 처음 공부한 몇 달 동안 계속되었다. 그녀가 강의를 다시 듣고 책을 미리 읽으려고 해도 그것은 단지 일시적인 효과를 낼 뿐이다. 왜냐하면 강의가 끝나면 그녀는 또 새로운 강의를 들어야 했기 때문이다. 새로운 강의에는 또 새로운 전문용어가 등장한다. 그리고 그녀는 그 많은 단어들을 바로 기억할 수 없었다. 그녀는 매일 전문용어와 지식을 외우는 데 많은 시간을 보냈다. 어떤 날은 그녀가 점심 먹을 시간도 없이 다른 과목 수업을 가야 했다. 어려운 언어와 정신없이 빨리 돌아가는 학업 프로그램 때문에 그녀의 기말고사 성적은 좋지 않았다. 소이 인생의 첫 실패다.

그녀는 자신의 능력에 대해 회의를 품기 시작했다. 그녀는 아무것도 할 기분이 아니었고 요리에는 관심조차 없었다. 그녀는 항상 자신의 생각에 잠긴다. 그녀는 필기시험 외에도 토론 능력을 평가받아야 했다. 그녀는 이전 시험이 좋지 않았기 때문에 그녀의 토론 내용을 많이 연구했고 높은 점수를 받아야겠다고 결심했다. 소이는 자신의 이러한 노력이 도움이 될 줄 알았는데 아니었다. 왜냐하면 교수님께서 무자위로 두 사람을 선택했기 때문이다 그리고 그녀가 토론할 사람은 훌륭한 미국인 친구이고 선생님들로부터 이미 매우 높은 평가를 받고 있었다.

그녀는 그 어느 때보다도 불안했다. 그녀의 에세이는 꽤 좋았지만, 한 미국 친구가 던진 질문이 뒤로 갈수록 그녀를 혼란에 빠뜨렸다. 이때 그녀는 매우 긴장해서 질문의 핵심에 대답할 수 없었다.

그녀는 아무 소리도 듣지 않고 가만히 서 있었다. 결과적으로, 그녀는 이 시험을 잘 끝내지 못했다. 바로 이 사실이 그녀의 기분을 점점 더 악화시켰다. 그녀는 그 문제를 해결하기 위해 무엇을 해야 할지 몰랐다. 소이는 요즘 아무와도 대화하지 않고, 질문에도 대답하지 않았다. 친한 친구와 전화도 하기 싫고, 부모님의 말씀도 듣기 싫다. 한나가 무슨 일이 있는지 걱정했을 때, 소이는 드디어 자신의 고민을 털어놨다.

"내가 제대로 하고 있는지 의심스럽다. 예전에는 내가 아무리 힘들어도 나는 항상 최선을 다해 시험을 치렀어. 하지만 지금은 실패한 것 같아."

그러자 한나가 말했다.

"무슨 일이든 최선을 다하면 원하는 결과가 나오기도 하지만 가끔 삶에 변화가 생기기도 하지."

"그 변수 덕분에 무엇을 해야 할지 알 수 있었어."

한나는 숨을 크게 한 번 쉬고 다시 말을 이어갔다.

"지금 당장 해야 할 일은 상쾌한 기분으로 무엇을 해야 할지 곰곰이 생각해 보는 거야. 내일 당장 캠핑 가자."

소이는 한참 생각에 잠겼다가 한나의 말에 동의했다.

한나가 다시 말했다.

"요즘 네가 친구와 부모님께 연락을 안 해서 걱정이다. 빨리 전화해"

소이는 소영이와 룸메이트에 대해 이야기한 적이 있었다. 소영이가 소이의 변화가 걱정돼서 한나한테 문자를 한 것이다. 한나는 자신의 부모님께 도움을 요청했다. 소이는 그녀의 부모님 앞에서 마치 어린아이처럼 울음을 터뜨렸다. 그녀는 답답한 마음을 털어내듯 그동안의 이야기를 한나의 부모님께 털어 놓았다. 한나의 부모님은 소이를 매우 사랑하시고 그녀를 매우 걱정하신다. 한나의 아버지가 말했다.

"힘을 내, 이것은 시작에 불과해. 앞으로 더 많은 어려움이 있을거야. 이것은 네가 겪게 될 사소한 것들이지. 너무 힘들면 우리에게로 언제든지 오렴."

소이는 한나의 부모님께 힘을 얻었고 그녀의 마음은 비로소 편안해지는 것 같았다.

다음 날, 소이는 한나와 함께 시내의 유명한 강에 가서 식사를 하고 일몰을 봤다. 그녀는 해가 지는 것을 보고는 어느 정도 마음이 가라앉았다. 한나는 소이를 기분 좋게 하기 위해 네잎클로버 목걸이를 선물하며 소이가 포기하지 말고 항상 행운이 함께하길 바란다고 말했다.

그날 밤, 소이는 앞으로 무엇을 할 것인지 계획서를 작성했다.

'먼저 교수님의 강의 내용을 모두 복습할 것이다. 그녀는 모든 여가 시간을 앉아서 내용을 연구하는데 보내자. 이해가 안 되는 것이 있으면 교수님을 따라가서 수업 후에 다시 물어보자. 그녀는 매일 교수님을 따라다니며 질문을 할 것이다. 한편, 그녀는 매일 영어를

연습하고, 한나와 함께 매일 영어 말하기 연습을 할 것이다. 한나는 그녀의 문법 실수를 고쳐 줄 것이다.'

하루하루 노력한 덕분에 그녀의 영어는 점점 더 향상되었고 그녀의 발음은 점점 더 정확해졌다. 그녀는 다시 공부에 온 힘을 쏟았다. 그녀의 끊임없는 일상의 노력 덕분에 두 번째 시험에서 아주 좋은 성적을 거두었다. 그녀의 에세이 시험도 예외는 아니었다. 그녀는 이번에도 그 미국인 친구와 토론을 했다. 두 사람은 격렬한 논쟁을 벌였다. 수업시간이 다 끝나갈 때까지 그들의 논쟁은 계속됐다. 선생님은 소이에게 놀라며 두 사람의 논쟁을 칭찬했다. 소이의 토론 상대방도 그녀의 표정에 놀랐다. 그녀는 자신의 결과에 매우 만족했다. 그녀는 즉시 부모님과 친한 친구에게 전화를 걸었다. 뿌듯했다.

소이는 배 속의 아이에게 자신의 삶을 계속 이야기하려고 했지만, 초인종이 울렸다. 남편이 퇴근하고 돌아온 것이다. 그녀는 매일 그녀의 아이와 이야기할 시간이 조금 있다. 그녀의 남편은 그녀의 첫사랑이다. 몇 년 동안 떨어져 지낸 후에도 두 사람은 여전히 사랑했다.

소이와 준우는 이제 예전보다 많은 대화를 나눌 수 있다. 유학 중 겨울 방학 때, 그녀는 그녀의 부모님과 친구들을 만나기 위해 한국으로 날아왔었다. 그리고 동창 모임에서 그녀는 우연히 첫사랑 준우를 만났다. 파티가 끝난 후 준우는 그녀의 오해를 풀어 주었다. 준우와 그 친구는 어렸을 때 친구였고, 이후 그 친구는 외국에서 오래 살아서 서로 안으며 인사하는 것을 아무렇지도 않게 생각했던 것을 오해했던 것이다. 소이와 준우는 그동안의 오해를 풀고 대화를 많이 나누며 다시 연인이 됐다.

준우와 소이는 오랜 연애 끝에 부부가 됐다. 그녀는 지금 자신의 삶에 매우 만족한다.

현재 그녀는 사랑하는 사람들과 매우 행복한 삶을 살고 있으며 성공적인 경력을 가지고 있다. 그것은 그녀가 가장 사소한 것에서부터 시작하여 매일 노력한 결과이다. 물론 그녀가 방금 아이에게 해준 말은 그녀가 겪은 어려움의 극히 일부에 불과하다. 지금 돌이켜보면, 그녀는 포기하지 않은 자신에게 감사하며 앞으로도 그녀의 이야기는 계속될 것이다.

그러나 모든 것이 꿈과 같지 않습니다.

꿈의 삶

칸 링

꿈의 삶

우리가 기대하는 삶은 무한할 정도로 다양하다. 기쁜 일도 있고 슬픈 일도 있을 수 있다. 그러나 나는 목표를 세우면 그것을 이루기 위해 열심히 노력한다. 나는 학교 장학금을 받기 위해 열심히 시험 준비를 했다. 그러나 여러 가지 이유와 실수 때문에 1등을 하지 못하는 바람에 장학금을 놓쳤다. 속상했지만 자책하기보다는 더 노력해야 한다. 어느 누구도 나의 집중력을 떨어뜨리는 것을 원하지 않는다. 그날도 공부를 하기 위해 도서관에 갔는데, 그곳에서 눈이 가는 사람을 만났다.

나는 그의 얼굴을 기억하지만, 그때 이후로 다시 보지 못했다. 어느 날 아침, 나는 잠을 깨기 위해 커피를 사러 갔다가 우연히 그가 앉아 있는 카페에 들어갔다. 왠지 우리는 오래전부터 알고 지낸 것처럼 서로를 바라보았다. 자석에 이끌리듯 그에게 다가가 앉았다. 그는 유쾌하고 활달하게 이야기를 이끌어 나갔다. 그리고 연락처를 교환하고 다시 만날 약속을 했다. 수업 준비를 해야 했기 때문에 더 머물러 있을 수가 없었다. 민호와는 공통 주제가 많아서인지 만나면 이야기가 끊임없이 이어졌다.

아무도 나를 그렇게 설레게 한 적이 없는데, 민호에게만은 달랐다. 민호는 내가 모르는 많은 것들을 알고 있어서 큰 도움이 되었고, 나는 독서에 매우 열정적이었기 때문에 그와 함께 공부하기로 하였다. 민호와 나는 이번 주말에 학교 근처 공원으로 놀러 가기로 약속했다. 나는 약속을 꽤 철저하게 준비했다. 민호와 다시 만났을 때 그는 너무 예쁘다고 칭찬해 주었다.

나와 민호는 산책도 하고 밥도 먹고 저녁에는 근처 야시장에도 갔다. 그런 곳에 가본 적이 없어서 좀 지루했지만, 민호의 따뜻함으로 견딜 수 있었다. 데이트가 끝나고 민호가 집에 데려다주었다.

이번 데이트는 상상 이상으로 재미있었다.

"앞으로 더 좋은 곳에 데려가 줄게 안녕"

민호가 상큼한 미소를 지으며 손을 한 번 흔들고는 저만치 멀어져 갔다.

그날 밤 늦은 시간이었지만 민호와의 만남을 자랑하고 싶어 친구에게 문자를 보냈다. 이후 민호 생각에, 공부에 집중할 수 없었다. 민호가 공부하는 것을 도와주겠다고 하여 도서관에서 다시 만났는데 민호가 갑자기 고백을 했다.

"너와 있으면 즐거워. 이제부터 친구가 아니라 연인이 되어 더 즐겁고 행복한 추억을 만들고 싶어."

그의 갑작스러운 고백에 너무 놀랐다.

"나에게 결정할 수 있는 시간을 조금 줘."

나는 오랫동안 고민하다가 친구에게 털어놓았다. 그는 나에게 세상은 책으로만 배우는 것이 아니니 좀 더 크게 생각하라고 조언했다.

그런데 평소와 다른 나의 모습 때문에 어머니에게 민호와의 관계를 들키고 말았다. 엄마는 사람으로 상처받을 수 있으니 너무 일찍 사랑에 빠지면 안 된다고 말씀하셨다. 성적이 떨어질 거라는 걱정도 함께……

"하지만 엄마 민호는 제 삶을 훨씬 더 흥미롭게 만들어요. 그리고 저는 제가 올바른 결정을 내릴 수 있을 만큼 성숙하다고 생각해요. 그러니 제 삶에 대해 자유롭게 결정할 수 있도록 해주세요."

다행히 어머니도 제 의견을 존중하겠다고 하시면서 하지만 엄마의 말도 명심하길 바란다고도 말씀하셨다.

이후 민호를 다시 만났을 때 나는 그의 고백을 받아들이고 엄마의 생각도 말해 주었다. 민호는 부모는 항상 아이가 잘되기를 바라기 때문에 이해한다고 하며 항상 나를 지켜주고 저를 지지해주겠다고 약속했다. 그 순간 내 모든 걱정들이 사라지면서 사랑받고 있다는 생각에 행복했다. 나는 오랫동안 민호와 함께 있었고, 어머니께 내가 선택한 것이 옳았다는 것을 증명했다. 가끔 우리는 어쩔 수 없이 말다툼을 했지만, 그때마다 민호가 적극적으로 사과하고 아무 일도 없었던 것처럼 즐겁게 보냈다. 우리는 우리의 연인 관계를 외부에 공개한 적이 없지만, 가까운 친구나 가족 모두 알고 있었다. 어느 날, 그와 데이트하고 있을 때 우연히 내 친구들을 만났다. 우리는 함께 저녁을 먹으며 그들에게 자연스럽게 민호를 소개했다. 그들은 그가 꽤 괜찮고 저에게 잘 맞는 사람이라고 말해 주었다.

나는 열심히 공부한 덕에 대학 2학년 때는 장학금을 받고 유학을 갈 수 있게 되었다. 민호가 그 과정에서 큰 힘이 되었다. 하지만 장학금을 받는다는 것은 내가 가족과 민호와는 떨어져 살아야 한다는 것을 의미했다. 나는 그것이 마음에 걸렸지만, 장학금은 나의 꿈이자 노력의 결실이었다. 부모님은 나를 많이 자랑스러워하셨지만, 내가 집을 떠나서 혼자 살면 새로운 환경에서 어려움을 겪을 걸 걱정하셨다. 나도 인생의 첫 도전이었으므로 매우 떨렸다. 민호와 나는 끈끈하고 단단한 애정을 가지고 있지만, 서로 떨어져 있다 보면 안 좋은 일이 생길까 봐 걱정되었다. 민호와 나는 많은 이야기를 했다.

"이번이 나에게는 좋은 환경에서 공부할 마지막 기회라고 생각해. 그러니까 앞으로 2년만 나를 기다려 줬으면 좋겠어."

민호는 아무 말 없이 고개만 끄덕였다.

나에게도 2년은 아주 길고 고되며 외로운 시간이 될 것이다. 그래서 혼자 외로울 때 추억을 꺼내어 위로받기 위해, 남은 시간 친구, 가족과 함께 시간을 보내기로 했다. 부모님과 여행을 가서 많은 이야기를 나누었다. 민호와도 최대한 많은 시간을 보내려고 노력했다. 그때가 나에게는 가장 아름다운 순간이었다.

어느덧 떠나는 날이 되어, 모두와 작별 인사를 했다. 그들은 곧 다시 만날 수 있기를 바라고 건강하게 돌아오기를 바란다고 진심으로 인사를 해주었다. 비행기는 드디어 아름다운 프랑스에 나를 데려다주었다. 나는 아름다운 경치에 그저 놀랐다. 그리고 부모님께 전화를 드렸다. 여행을 떠나기 전에 철저한 준비를 했기 때문에 모든 것이 순조로웠다. 날씨도 맑고 평화로웠다. 하지만 민호랑 친구들이 많이 보고 싶었다. 시차가 많이 나서인지 몸은 많이 피곤했다.

이곳의 모든 것에 익숙해지고 친구를 사귀기 위해서는 시간이 필요하다. 처음에는 지루하고 혼자 있는 시간들이 우울할 때도 있었지만 학교에 가서 친구가 많아지자, 모든 것이 흥미로워졌다. 새로운 것을 많이 경험하고, 여러 곳을 돌아다녔고, 공부도 안정적으로 해냈다. 나는 새로운 친구들과 함께 공부도 하고, 직장에 다니고, 새로운 문화를 경험했다. 시간이 날 때마다 가족과 친구에게 전화를 했다. 민호와 나는 매일 이야기를 나누며 그날의 일들에 대해 이야기했다. 1년이 지나고, 나는 긴 휴가를 맞아 더 많은 것을 배우기 위해 여러 곳을 여행하였다. 가족을 방문하고 싶었지만, 굳게 마음먹고 학기를 마치고 한국으로 돌아가기로 하였다. 나는 좋은 학습 환경에서 다양한 문화를 접하고 있기 때문에 내가 가진 생각과 지식은 점점 깊어졌다. 부모님도 내가 나 자신을 잘 보호하고 올바른 결정을 내릴 수 있다고 생각하고 안심하셨다. 민호는 여전히 일에 몰두하고 있고, 우리 사이는 여전히 좋았다. 그는 내가 필요할 때마다 항상 시간을 내서 나와 통화한다. 그는 또한 나와 그가 다시 만날 날을 기다리고 기다린다. 떨어져 있던 날로부터 우리의 감정이 많이 퇴색되어 감을 느꼈지만, 다시 돌아가면 모든 것이 괜찮아질 것이라고 생각했다. 민호도 내가 없어 슬프고 외로울 때 나 대신 부모님을 자주 방문했다. 그래서 우리 부모님도 그에게 사랑을 주셨다. 휴가에서 돌아온 후, 나는 장학금 과정을 빨리 마치고 가족과 함께 집으로 돌아갈 수 있도록 학업에 매진했다. 마지막 학기라서 졸업 에세이를 준비하느라 더 바빴다.

9월이면 나는 학기를 마치고 귀국할 수 있을 것이다. 2년이라는 시간이 흘렀다. 이제 진짜 얼마 안 남았다. 그 기간 동안 나는 내 직업과 미래를 위해 열심히 노력했다. 나는 졸업장을 받던 날 한국으로 가기 위해 서둘러 표를 예매했다. 내가 처음으로 한 일은 부모님을 위해 꽃다발을 사러 간 것이다. 내가 집에 도착하니 부모님은 저녁을 드시고 계셨다. 그들은 내가 들어서는 것을 보고 놀라서 어쩔 줄을 몰랐다.

"왜 알리지 않고 온 거야? 말했으면 공항으로 데리러 나갔을 텐데."

부모님은 나의 양어깨를 얼싸안았다.

"놀라게 해드리고 싶어서 연락하지 않았어요."

나는 수줍게 미소 지었다. 그리고 다시 말했다.

"내일은 민호랑 친구들을 만나고 싶어요."

다음날 부모님은 나에게 숨기고 민호를 집으로 불렀다. 자다 일어나서 방문 밖으로 나갔을 때, 민호는 나의 등장에 깜짝 놀랐다.

나는 달려가 민호 품에 안겨 기쁨의 눈물을 흘렸다.

"네가 얼마나 그리웠는지 몰라."

민호와 나는 우리가 처음 만나 이야기를 나누고 함께 했던 카페에 다시 갔다. 민호는 그동안 많이 변했다. 그는 매우 진지했고 훨씬 더 성숙해진 것 같았다. 그는 그동안 그가 무엇을 했는지, 얼마나 오랫동안 나를 기다렸는지 많은 것을 말했고 나는 내가 겪은 일에 대해 이야기했다.

　나는 한동안 한국에 살면서 계속 공부하고 경력을 쌓았다. 고향을 떠나 유학을 한 후 나는 성장했고 많은 것을 배웠다. 시간은 순조롭게 흘러갔고, 민호와 나는 오랫동안 함께했다. 민호는 나의 처음이자 마지막 사랑인 것이다. 우리는 6년 동안 함께했고 결혼하기로 결정했다. 민호와 설레는 마음으로 결혼식을 준비하던 날 웨딩드레스를 입어보고 웨딩사진도 찍었다. 그 순간이 얼마나 행복하고 설레던지⋯⋯. 일생에 한 번뿐인, 가장 기억에 남는 순간이 될 것이다. 내 모든 감정, 노력으로 나의 꿈이 이루어졌고 정말 내가 자랑스럽고 행복하다. 결혼식 당일, 결혼식 가는 길에 교통사고가 났다. 그 아름다운 기억들이 내 머릿속을 스쳐 지나 번개처럼 사라졌다. 민호와 그의 가족들과 더 많은 시간을 보내지 못해 아쉽다. 하지만 나 자신은 끝까지 충실했기 때문에 후회는 없다. 인생이 너무 짧⋯ 은⋯ 것⋯⋯.

에밀리는 그녀가 진심으로 사랑했던 남자 친구를 바
꾼 소녀다. 아무런 설명도 없이 떠났다.
하지만 여기서 에밀리는 그를 만나게 되고,
그녀의 삶은 현실이 되지 못한다.

Emily

김예카

Emily

그들은 어린 시절, 한 학교, 한 대학, 그리고 20년 동안 서로 사랑한 사이로 이제 25살이다. 유치원부터 현재까지 그들의 사랑은 곱게 이어져, 여전히 서로를 사랑했다.

금발 머리에 밝은 녹색 눈을 가진 그녀는 연약하고 온화한 성격으로 주변의 모든 사람들이 그녀를 천사라고 불렀다. 심지어 그녀의 목소리조차 천사의 음성으로 들렸다. 그래서 사람들은 그녀가 가수가 될 것이라고 예언처럼 말했고 그녀는 멈추지 않고 꿋꿋하게 그 길을 걸어왔다.

항상 사람들을 거칠게 대하는 준우조차 그녀를 밀어낼 수 없었다. 그는 항상 화가 나 있었지만, 결국 그것으로 그녀를 끌어당겼다. 그는 모든 사람의 평판을 무시했으며, 모든 사람을 소외시켰다.

그의 블랙홀같이 검은 머리와 검은 눈은 천사 같은 금발 소녀 에밀리와 더욱 대비됐다. 하지만 그들은 많은 사람들 속에서 서로를 발견하고 사랑에 빠졌다. 이제 그들은 서로가 없이는 존재할 수 없게 되었다. 적어도 에밀리가 준우로부터 메시지를 받기 전까지는 그랬다.

"미안해, 널 더 이상 사랑하지 않아…"

수백 번 메시지를 읽었지만, 에밀리는 그 말을 믿을 수가 없었다. 그것은 너무 갑작스럽게 일어났고 그것에 대한 어떠한 예고조차 없었다.

그녀가 마침내 메시지를 받아들였을 때, 왜 그렇게 갑작스러운 결정을 했는지 알아보기 위해 편지를 쓰기 시작했다.

"얘기 좀 해."

"이유를 말해봐."

그러나 아무런 대답이 없었고, 며칠 지나지 않아 메시지조차 차단했다.

그 후, 그녀는 그의 부모님으로부터 준우의 소식을 들으려 노력했지만, 부모님들도 그가 새로운 소녀를 만난다는 사실조차 모르고 있었다. 그는 같이 다니던 대학에도 오지 않았는데, 그녀가 선생님들에게 이유를 물었을 때, 그들은 그가 다른 도시로 이미 떠났다고 말했다.

그녀는 친구들에게서 준우의 이사 간 주소를 수소문하여 찾아갔지만, 어떤 대답도 들을 수 없었다.

에밀리는 준우가 왜 그녀를 버렸는지 이해할 수 없어 괴로워했고, 그것을 바라만 볼 수밖에 없는 에밀리의 엄마와 계부도 결국 신경쇠약으로 병원에 입원했다.

5년이 지나고 에밀리는 고고학자가 되기 위해 입학한 대학에서 졸업을 앞두고 있다. 그녀는 곧 그 분야에 프로가 될 수 있을 것이다. 비록 그녀가 가수의 꿈을 포기해야만 했지만, 그녀는 모든 사람들이 그녀를 사랑에 미쳤다고 생각하는 이 도시를 떠날 수 있다는 것에 안도했다. 이제 그녀는 준우를 용서했고 그녀의 과거를 추억 저편에 접어버렸다. 그래서 여행을 할 시간이 되었을 때, 그녀는 미련 없이 여행을 떠났다.

약 2시간의 비행을 마치고, 지정된 도시에 도착했다. 자신보다 큰 여행 가방과 엄청난 열정으로……. 하지만 우선, 그녀는 숙소를 찾아야 했기에, 마침내 잠시 머물 수 있는 근처의 호텔로 갔다.

이 호텔은 '5년 후'라는 이상한 이름을 가졌지만, 가장 중요한 것은 이 도시에서 가장 평범한 호텔이었기 때문에 에밀리는 곧 방을 예약했다. 짐을 푼 후, 소녀는 근처 식당에 가려고 방을 나섰다가 이상한 기운을 느꼈다. 호텔에 아무도 없었던 것이다. 즉, 그녀는 직원이 방에서 방으로 이동하는 것을 보았지만 투숙객을 만나지는 못했던 것이다. 마지막 빈방이 그녀에게 주어졌을 때도……. 적어도 프런트에서 그렇게 말했다.

그녀는 그 호텔 직원의 말을 되새기며 조용히 식당으로 갔다. 놀랍게, 그곳에도 직원들 외에는 아무도 없었다. 하지만 아무도 신경 쓰지 않는 것 같았다. 그녀가 테이블에 앉았을 때 웨이터가 그녀에게 조용히 다가왔다.

"죄송하지만, 혹시 무슨 일이 일어나고 있나요?"

그녀가 속삭이며 물었다.

"꿈."

그 남자는 짧게 대답했다. 에밀리는 더 이상 묻지 않았다. 그녀는 절대적인 침묵 속에서 식사를 했고 직원들은 묵묵히 자리에 서 있었다. 에밀리는 서둘러 밥을 먹은 후, 돈을 지불하고 거리로 뛰쳐나왔다. 발굴은 내일부터 시작될 예정이어서 그녀에게 오늘 하루는 여유가 있었다.

하지만 이 도시에서 무슨 일이 일어나고 있는지 알 수 없을 때, 그녀는 빨리 떠날 수 있기를 바랄 것이다.

에밀리는 운명에 자신을 맡기기로 하고, 도시를 돌아다니며 사람을 찾기로 결심했다. 하지만 그 도시에는 아무도 없었다.

한 시간 넘게 시내를 배회하다 에밀리는 마침내 이 이상한 장소에서 한 가지 특징을 알아차렸다. 그녀가 본 유일한 사람들은 서비스 직원이나 판매원뿐이었다는 것이다.

에밀리는 걷기에 싫증이 나서 호텔로 향했는데, 그곳에는 작은 놀라움이 기다리고 있었다.

"여기 편지입니다."

프런트 직원 상냥하게 말했다. 에밀리는 경계했다. 그녀는 편지를 기다리지 않았다. 게다가, 그녀의 지인들은 모두 그녀에게 전화를 걸 수 있었다. 그런데 편지라니….

"감사합니다."

에밀리가 편지를 받으며 대답했다.

"혹시 누가 그 편지를 가지고 왔는지 기억하시나요?"

에밀리가 물었지만, 프런트 직원은 아무 소리도 듣지 못했다는 듯 미소를 지었다.

에밀리는 다시 묻지 않기로 결정했다. 에밀리는 그녀의 방에 들어가 창문으로 다가가 창가에 기대어 사람들이 즐겁게 놀고 있는 공원을 내려다보았다. 에밀리는 신발을 신고 재빨리 밖으로 뛰쳐나갔다. 하지만 사람들은 언제 있었냐는 듯 흔적도 없이 사라졌다.

에밀리는 너무 놀라 프런트로 달려갔다. 그리고 얼굴이 새파랗게 질려 말했다.

"방 창문에서 분명 사람들이 놀고 있는 모습을 보고 내려왔는데 아무도 없어요."

프런트 직원이 그녀의 방으로 갔다. 그녀는 무슨 일이 벌어지고 있는지 몰라 너무 두려웠다.

"이 편지가 뭔가 단서가 될지 몰라요."

그녀는 재빨리 편지를 펴서 읽기 시작했다.

"에밀리, 이 도시에서 이상한 일이 벌어지고 있다는 것을 이미 알고 있을 거라고 생각합니다. 당신이 나를 믿지 못할 수도 있다는 것을 알지만, 이 편지를 끝까지 읽어 주십시오. 당신의 세상에서 온 이곳은 현실 세계가 아닙니다."

편지의 내용이 에밀리를 혼란스럽게 만들었지만, 그래도 계속 읽어 나갔다.

"이 세상은 당신이 어떤 이유로 만들었는지 모르지만, 당신의 상상 속에서 이 세계가 사라질 때까지 당신 스스로 길을 찾아야 합니다."

에밀리는 편지를 한쪽으로 치워 버렸다.

'누가 이런 헛소리를 믿겠어?'

그녀는 생각했지만, 마지막 말은 여전히 그녀를 두렵게 했고, 그녀는 그것에 대해 곰곰이 생각해 보기로 했다.

'이것은 큰 해프닝일 거야. 그냥 자는 건 어때?'

에밀리는 스스로에게 말을 건네며 뺨을 때렸다.

'누군가를 끝까지 신뢰할 수 있을까?'

그녀는 중얼거리며 잠자리에 들었다. 오늘은 터무니없고 이해할 수 없는 일들이 너무 많이 일어났으므로, 쉬어야 했다.

다음 날 아침 일찍 일어난 에밀리는 그녀의 팀장으로부터 전화를 받았다.

"30분 뒤에 약속 장소에서 당신을 기다리고 있을 거예요."

"그래, 어제 일은 꿈이야."

에밀리는 안도감을 느끼며 즐겁게 노래까지 흥얼거리며 준비를 했다. 그리고 30분 후에 그녀는 발굴 장소로 가는 버스 안에 있었다. 버스 안에서 에밀리는 또래의 여자 친구와 함께 앉았다.

"안녕!"

소녀는 즐겁게 인사했다.

"안녕, 난 에밀리."

그녀는 먼저 악수를 하며 대화를 이어갔다.

"당신도 발굴 현장으로 가나요?"

여자가 고개를 끄덕였다.

"이름이 뭐죠?"

"리한나, 만나서 반가워요."

당황한 소녀가 대답했다. 하지만 모든 사람이 친해지기 위해 먼저 말을 건네는 것은 아니다.

"리한나, 어제 이상한 꿈을 꾸지 않았나요?"

에밀리가 물었다.

"무슨 꿈을 꿨는지 기억도 안 나요,"

소녀는 웃으며 대답했다.

"그렇군요."

에밀리는 리한나가 예전 학교에 다닐 때 친구를 닮았다고 말하면서 미소를 지었다. 소녀들은 버스가 현장에 도착할 때까지 웃고 떠들었다.

"이제 나가자, 우리 도착했어."

누군가 외쳤고 모두가 버스에서 내리기 시작했다.

"리한나, 무슨 일 있어?"

발굴 단장이 불만스럽게 소리쳤다.

"에밀리가 깨어나지 않아요."

리한나가 소녀를 흔들어 깨우며 대답했다.

"에밀리, 에밀리, 에밀리!"

에밀리는 눈을 떴다. 호텔 방이었다.

같은 날짜였지만, 그녀에게는 어떠한 전화 메시지도 오지 않았다.

'내가 왜 여기 있지?'

에밀리는 프런트에 그들이 무언가를 알고 있는지 물어보기로 결정했다. 그녀는 가방을 집어 들고, 거기에 가능한 모든 것을 집어

넣었다. 그녀가 결코 버리지 못할 신비한 편지를 포함해서. 복도로 나가자, 그녀의 눈은 꿈에서 본 것과 같은 그림이 걸려 있었다.

"죄송합니다. 제가 어떻게 여기 왔는지 아세요?"

에밀리가 긴장해서 지금의 상황에 관해 물었다.

"당신은 아무 데도 가지 않았어요."

프런트 직원은 이상하다는 듯 대답한 다음 다시 침묵했다.

에밀리는 사람들이 그녀에게 어떤 중요한 정보도 말하지 않을 것이라는 것을 깨달았고, 그래서 그녀는 스스로 무언가를 하기로 결심했다. 그녀는 이미 편지의 말을 절반쯤 믿고 있었다.

"우리는 발굴을 시작해야 합니다."

버스는 아직 달리고 있었다.

그녀는 맨 앞자리에 앉아, 창밖을 스쳐 가는 풍경을 관찰하기 시작했다.

그녀는 아무도 없는 도시에 오히려 갑자기 또 다른 거주자가 나타나는 것이 오히려 두려웠다. 에밀리는 숨을 죽이고, 심장을 미친 듯이 두드리며, 버스 문이 열리는 소리를 들었다. 누군가가 그녀의 옆자리에 앉아 있었지만, 미처 알아채지 못하고 있었다. 그녀는 그가 어떤 사람인지 보기 위해 얼굴을 돌렸다. 그 순간,

그의 얼굴을 보고 그녀는 얼어붙었다.

"준우!"

지금까지 그렇게 혼란스러운 감정을 느껴본 적이 없었나.

한편으로, 어떻게 그가 그녀 앞에 있고, 어떻게 그곳에 있을 수

있는지 의아했다. 어떻게 된 거지?

"여기서 아무도 못 만날 줄 알았는데."

준우는 침착하게 말했다.

"너 나 놀리냐?"

에밀리가 불만스럽게 소리쳤다.

"당신이 얼마나 오랫동안 나를 떠나 있었는 줄 알아?"

그는 에밀리에게 옆에 와서 앉으라고 손짓하며 웃었다.

"무슨 일이 있었던 거야?"

"에밀리, 기억 안 나니?"

소녀가 머리를 감쌌다.

"나는 5년 전에 죽었다."

에밀리는 마비된 것처럼 중얼거렸다.

'뭐라고?'

그녀는 머리를 저었다.

"아니, 그건 말이 안 돼. 당신이 다른 사람을 찾았다고 했을 때, 나는 너무 괴로워 신경쇠약에 걸렸고, 그리고 내내 병원에 있었어, 난 모든 것을 기억해!"

준우는 안쓰럽게 에밀리를 바라보았다.

"바로 그것이 내가 여기 있는 이유야."

준우는 한숨을 쉬며 티셔츠를 들어 올렸고, 그 안에 피가 나는 칼구멍이 몇 개 있었지만, 티셔츠는 아무렇지 않았다.

"오스틴에게 무슨 일이 일어났는지 기억 안 나니?"

에밀리는 동급생, 영원한 괴롭힘, 매우 불쾌한 기억들을 떠올렸다.

"글쎄, 그는 당신과 거의 같은 시기에 대학을 떠났어."

에밀리의 머릿속은 뒤엉킨 상황을 퍼즐 맞추듯 재깍재깍 움직이기 시작했다.

"근데, 그게 어떻게 가능해?"

에밀리가 놀라 물었다.

"그러면 이 모든 기억들을 어디서 얻었다는 거야?"

"확실하지는 않지만, 잠재의식이 너무 손상되어 뇌가 그 순간의 모든 기억을 다른 기억으로 바꿨다고 생각해."

준우가 말했다.

"그럼 왜 여기 있어?"

에밀리는 무슨 일이 일어나고 있는지 알 수 없었고 마침내 확신을 갖기 위해서는 더 많은 증거가 필요했다.

"당신은 아직 나를 보내지 못했어."

"그래서 내 영혼은 이 세상에 머무를 수밖에 없었지"

에밀리는 머리를 움켜잡았다.

"하지만 어떻게 그럴 수 있지?"

"나도 모르겠어."

준우는 어깨를 으쓱했다.

"하지만 확실한 건 네가 이 세상에 머물러서는 안 된다는 거야."

"왜?"

에밀리가 대답하며 그녀의 가방 속에 들어 있던 그 이상한 편지를 떠올렸다. 하지만 그녀는 준우의 밀을 듣고, 그 편지가 믿을 만한 가치가 있는지 확인하고 싶었다.

"당신은 현실에서 왔어. 환상이나 유령도 아니고, 여기 있으면 안 돼"

준우는 한숨을 쉬었다.

"여기는 네가 있을 곳이 아니라는 것을 알기 때문에 너를 밀어낼 수 밖에 없어"

에밀리는 낄낄거렸다.

"만약 이곳이 나를 거부한다면, 왜 그냥 현실로 던져버리지 않는 거지?"

준우가 다시 한 번 목소리를 가다듬으며 말했다.

"당신 탓이야, 아직 무슨 일인지 모르겠지만, 당신이 원한다면 당신 스스로 빠져나갔을 거라는 걸 알아"

'너 만나기 전부터 이 세상으로 던져져 빠져나갈 수 없었어'

에밀리가 정신을 가다듬고 곰곰이 생각했다.

"더 이상 내가 잃어버릴 게 있을까?"

그녀는 자기 자신에게 물었다.

"에밀리, 만약 당신이 당신의 세계로 돌아가지 않는다면, 당신 자신의 생각이 당신을 삼켜버릴 거야"

"알아!"

소녀는 참지 못하고 소리쳤다.

"고통스럽지 않으려면 스스로 목숨을 끊으라고 하는 거야?"

"마음이 시키는 대로만 하면 될 것 같아"

준우의 대답에 에밀리는 처음에 그가 농담을 하고 있다고 생각했지만, 그 남자는 더없이 진지했다.

"너의 마음이고 너의 생각이니 너 스스로 나가려고 노력해야 해"

준우가 힘을 주어 말했다.

"글쎄 이게 무슨 의미가 있을까?"

에밀리는 한숨을 쉬었다.

"이제 발굴을 시작해야 해, 현실 세계가 아닐지라도…."

그리고나서 그들은 조용히 갔다. 에밀리가 갑자기 편지를 떠올리기 전까지는.

"준우, 나한테 편지 한 통 안 썼어?"

소녀는 핸드백을 열고 서명 없는 하얀 봉투를 꺼냈다.

"아니, 난 아무것도 쓰지 않았어, 적어도 널 직접 만날 거라고 생각 했거든."

"그럼, 누가 나한테 썼다는 거지?"

에밀리가 놀라며 물었다.

"나중에 생각해보자 이제 나갈 시간이야."

그들은 에밀리 일행이 발굴을 시작해야 하는 바로 그곳에 도착했다.

"어디로 가야 할지 모르겠어. 버스에서 잠든 건 같은데 발굴 현장까지 왔다."

"누가 거기에 서 있나요?"

준우가 멀리 있는 소녀를 보며 물었다.

"리한나잖아요!"

에밀리가 소리치며 그녀를 따라 달려갔다. 하지만 놀랍게도, 아무리 뛰어도, 그녀는 서 있는 것처럼 보이는 리한나를 따라잡을 수 없었다.

에밀리가 지쳐버릴 때쯤 소녀는 완전히 사라졌다.

"그게 뭐였지?"

에밀리는 주위를 둘러보았다. 그들은 기원을 알 수 없는 동굴을 발견한 것 같다.

"저기로 가봐야 할 것 같아."

준우는 에밀리의 손을 잡고 아래로 내려가기 시작했다.

"이 발굴물은 대체 무엇입니까?"

그들이 거의 10분 동안 낮은 동굴을 걸어갔을 때 준우가 물었다.

"그냥 깜짝 놀랄만한 것이라는 얘기만 들었어요."

준우가 눈을 굴렸다.

"그게 서프라이즈, 빠져나올 기회 없이 상상 속에 갇힌다는 걸 깨달은 거야"

에밀리가 다시 낄낄거렸다.

"보다시피, 준우, 넌 조금도 변하지 않았어"

준우의 얼굴이 듣기 싫다는 듯 찡그려졌지만, 에밀리는 뒤에서 걷고 있었기 때문에 그것을 알아차리지 못했다.

"다들 잔소리만 하고 호들갑스러운 것이 화가 나"

"더 이상 중요하지 않아."

그 남자는 짧게 대답했고, 그 후 길고 불편한 침묵이 시작되었고, 마침내 거대한 크리스털 동굴이 발견되고야 끝이 났다.

"우리가 원하는 곳으로 온 것 같아"

그녀의 눈은 상상할 수 없는 광경을 향해 있었다.

동굴의 천장과 벽에는 온갖 종류의 결정이 모양, 색깔, 크기를 달리하여 동굴 전체를 비추고 있었다. 그리고 그 아름다움의 한가운데에는 이 결정체들이 있는 호수가 있었다.

"정말 아름다워."

에밀리는 동굴 깊숙한 곳으로 걸어가서 그녀가 발견한 모든 물상들을 살펴보았다. 그녀는 음미하듯 눈을 감은 채 걷다가 휘청거렸을 때 준우가 얼른 그녀를 부축했다.

"조심해!"

에밀리는 준우에게 기대어 물었다.

"준우, 내 마음 속에 무슨 일이 일어나고 있는 걸까?"

남자는 그녀를 일으켜 세우며 날카롭게 대답했다.

"그럼 생각해 봐. 뇌가 죽는데 몸은 계속 살아있을 거라고 생각해?"

그 말에 에밀리는 긴장했다.

"그래서 여기서 죽을 수도 있다는 거야?"

"내가 누누이 말했듯이, 당신은 현실이고, 나는 유령일 뿐이야, 당신은 조심해야 해"

에밀리는 준우가 그들이 어디로 갈지 생각하는 동안 무언가를 생각하고 있었다.

"에밀리, 우리에게 도움이 될 수 있는 것이 무엇인지 생각해 봐. 그것은 당신의 의식 속이고 나는 네가 우리가 어디로 가야 할지 알고 있다고 확신해."

하지만 그녀는 아름다운 동굴을 떠나고 싶지 않았다.

"에밀리, 에밀리, 일어나!"

에밀리는 눈을 뜨고 그녀의 언니가 정신없이 자신을 흔들어 깨우는 것을 보았다.

"뭐…. 무슨 일이야?"

에밀리가 주위를 둘러 보았으나 동굴은 사라졌고 준우는 어디에

도 없었다.

"에밀리, 버스에서 열이 나서 병원에 실려 왔어."

에밀리의 여동생 줄리아도 매우 불안한 듯 에밀리를 내려다보았다.

"엄마, 아빠도 다음 비행기로 곧 오실 거야."

에밀리는 머리를 움켜잡았다. 그녀는 방금 동굴 속에 있었는데, 지금은 병원에 있고, 그 옆에는 언니 줄리아가 서 있었다.

"줄리아, 5년 전 준우는 어떻게 되었지?"

언니는 무슨 말을 하고 있느냐는 듯 에밀리를 바라보았다.

"기억나는 것 없어?"

에밀리는 머리를 바닥에 떨구었다.

"그럼 5년 전에 준우가 죽은 거야?"

줄리는 희미하게 고개를 끄덕였다.

"모두 기억이 난 거야?"

"응."

에밀리의 대답에 의사들이 마침내 그녀의 퇴원을 허락했을 때 에밀리는 그녀의 부모님께 전화를 걸었다.

"엄마, 아빠 괜찮아요. 걱정하지 마세요. 그냥 좀 과민했던 것 같아요, 괜찮아요."

줄리는 그제야 웃음을 지었다. 줄리는 미소를 지으며 그녀의 여동생 에밀리를 계속 쳐다보았다.

"뭐라고?"

"너는 너의 상황을 말하기 위해 전화한 적이 없어."

줄리가 대답했다.

"무슨 소리야? 이해가 안 되는 걸."

"너는 전화 한 통없이, 3일 동안 연락이 되지 않았고 병원에서 연락을 받고서야 네가 그동안 병원에 있었다는 것을 알게 되었어."

줄리는 미소를 지으며 이야기했지만, 그녀의 눈은 슬픔에 젖어 있었다.

"지금 엄마 아빠에게 전화했잖아"

"나는 그냥 잤을 뿐이야."

에밀리가 대답했다. 줄리아는 그냥 어깨를 으쓱했다.

"밥 먹으러 식당이나 가, 배가 많이 고파."

에밀리는 그녀를 따라갔다.

줄리아가 선택한 레스토랑은 그녀가 꿈에서 본 그 식당이었고, 심지어 직원들도 그들이었다. 에밀리는 그녀가 충격받을 것을 막기 위해 모든 노력을 기울였다.

"거기서 일은 어땠어?"

에밀리가 물었다. 줄리아는 메이크업 아티스트로 3년 동안 활동한 적이 있었다.

"평소와 다름없이 그날이 그날이야."

줄리아가 언니를 흥미롭게 바라보며 대답했다.

"너에게 무슨 일이 있었던 거야, 전에는 내 일에 관심을 가져본 적이 없었잖아"

에밀리는 한숨을 쉬며 생각에 잠겼다. 이렇게 중요한 비밀을 아무리 언니라도 말해도 될지 걱정이 되었다.

"준우가 꿈에 나타나서 5년 전에 이미 죽었다고 말했어."

줄리아는 동생의 말에 귀를 기울였다.

"물론 처음에는 믿지 않았지만, 그다음에 준우가 나에게 오스틴을 상기시켰을 때, 나도 어쩌면 그럴지도 모른다고 생각했어."

줄리아는 동생을 껴안고 손을 잡으며 말했다.

"에밀리, 너한테 준우의 죽음이 얼마나 큰 충격이었는지 알아, 하지만 네가 그 일을 잊을 수 있었으면 좋겠어."

"난 아직도 그 사실이 믿기지 않아 난 그의 무덤을 보고 싶어. 준우의 무덤이 어디 있는지 알아?"

줄리는 놀라서 동생을 쳐다보았다.

"나는 네가 모든 것을 기억한다고 생각했어."

에밀리는 고개를 저었다.

"너는 준우가 죽었을 때 그의 무덤에 있었어. 기억 안 나?"

에밀리는 언니의 말을 곰곰이 생각했다. 희미하게 생각의 파편들이 떠다니기 시작했다.

그들은 준우의 관을 땅속에 내리기 시작했다. 그녀는 비명을 질렀고, 그다음은 어둠이었다.

"그날 일이 뭔가 기억이 나는 것 같은데 너무 흐릿해."

에밀리는 머리를 움켜잡았다.

"괜찮아?"

줄리가 걱정스럽게 물었다.

"더 이상 발굴을 할 수 없을 것 같아"

에밀리가 대답했다.

"집에 가야 해."

"가도 괜찮겠어?"

줄리아가 에밀리의 단호한 말에 전화를 걸기 위해 수화기를 들었다.

"내가 알아서 할게."

줄리아가 말했다.

줄리와 에밀리는 함께 공항으로 갔다.

비행기가 서서히 공중으로 이륙하기 시작했다.

"어때 괜찮아?"

줄리가 물었다.

"그냥 뭔가 확인하고 싶은 게 있어"

몇 마디를 주고받은 후 에밀리는 잠이 들었다.

"에밀리?"

그녀는 또다시 어디서 온 지 알 수 없는 준우의 목소리를 들었다.

여기가 어디죠?"

에밀리는 눈을 뜨기가 두려웠다.

"우리가 있던 곳은 발굴 현장인 동굴이었어. 우리는 거기서 나와 너의 부모님 댁을 가고 있잖아."

준우의 말에 둘러보니 놀랍게도 비행기 안이었다.

"당신이 나를 여기로 데리고 온 거야?"

준우는 고개를 저었다.

"아니, 네가 갑자기 그 동굴에서 사라졌어! 난 널 찾아야만 했어."

에밀리는 준우의 말에 깜짝 놀랐다.

"그럼 어떻게 한 거야?"

"그냥 네 눈 속에서 네가 있는 곳을 봤어."

"그런 능력이 있었어?"

에밀리가 준우를 바라보며 말했다.

"그럼, 너도 내가 미쳤다고 생각해?"

준우가 에밀리의 말에 잠시 멈칫했다.

"머리의 지속적인 통증 기억해?"

"그게 항상 너였단 말이야?"

준우가 고개를 끄덕였다.

"결국 네가 줄리와 있다는 것을 알아내고 급히 그곳으로 갔어."

그는 잠시 쉬었다가 웃으면서 덧붙였다.

"좋은 징조인 것 같아"

에밀리는 그 말이 무슨 뜻인지 이해하지 못했다.

"몸과 마음이 다시 한번 만났으니 현실 세계로 다시 갈 수 있을 거야."

준우가 설명했다.

"이제 막 문제가 풀릴 뻔했다는 뜻인가요?"

준우는 어깨를 으쓱했다.

"모르겠어, 하지만 그럴 것 같아"

비행기 안에서 줄리아의 목소리가 들렸다.

"당신에게 때가 온 것 같아요."

에밀리는 잠에서 깨어났다.

"에밀리, 우리 도착했어."

언니는 에밀리가 잠에서 깼다는 걸 알아차리고 말했다. 에밀리는 줄리가 가방을 꺼내는 동안 몸을 추슬렀다.

"굿모닝!"

에밀리가 기지개를 켜며 말했다.

"빨리 가자, 그렇지 않으면 다시 그곳으로 가고 말 거야."

줄리아는 웃으며 여동생의 일어설 수 있도록 도와주었다. 집에 도착하니 부모님이 기다리고 있었다.

"엄마, 아빠, 안녕!"

에밀리는 부모님을 껴안았고, 그들은 매우 놀랐다.

"에밀리, 여행 중에 무슨 일이 있었던 거야?"

에밀리는 부모님의 반응에 당황했지만, 자식은 언제든 부모님을 껴안을 수 있다고 생각했다.

어색한 침묵이 줄리를 움직이게 했다. 줄리는 온 가족을 부엌 쪽으로 오도록 했다.

"엄마, 아빠, 에밀리는 5년 전에 있었던 모든 일을 기억해요."
줄리가 말했고, 그 말을 들은 부모님은 고개를 끄덕였다.

"에밀리, 불쌍한 녀석 이리 와."

엄마는 포옹을 하기 위해 팔을 벌려 애정 어린 목소리로 말했다.

"우리는 언제나 너를 사랑해."

막내딸의 머리를 쓰다듬으며 의붓아버지도 에밀리와 엄마를 안았다.

"진짜 괜찮아. 그냥 뭔가 확인하고 싶었을 뿐이에요"

에밀리가 말했다.

"왜 그날의 기억을 잃었는지 알고 싶어요."

사실 에밀리도 우연히 알게 된 자신만의 무의식 세계에서 벗어나고 싶었다. 하지만 그녀는 가족들에게 그 사실을 말하지 않기로 했다.

"충격으로 기억이 상실되었던 거야?"

줄리가 물었다.

"그럼, 왜 이제서야 돌아왔지?"

어머니는 딸을 품에 안아 꼭 껴안았다.

"그냥 그날을 기억하고 싶고, 내가 본 걸 기억하고 싶을 뿐이야."

줄리아는 한숨을 쉬었다.

"알았어, 언제나 도움이 필요하면 항상 내가 있다는 것을 잊지 않았으면 좋겠어."

에밀리는 언니에게 환하게 미소를 지으며 그녀를 꼭 껴안았다.

"고마워."

하지만 에밀리의 머릿속에는 마법처럼 다음 목적지가 있었다.

"그의 무덤에 가보고 싶어요. "

줄리는 그 말에 놀랐지만 의붓아버지에게서 자동차 열쇠를 빌려왔다.

"에밀리, 사실이니?"

에밀리의 어머니가 깜짝 놀라 물었다.

"너는 최근에야 준우의 죽음을 알게 되었는데 그렇게 빨리 가고 싶어?"

에밀리는 엄마에게 미소를 지었다.

"걱정 마. 엄마, 나에게 아무 일도 일어나지 않을 거야, 줄리아가 옆에 있잖아."

뒤에서 의붓아버지가 어머니에게 다가왔다.

"에밀리는 강한 아이야, 걱정하지 마"

그 남자는 에밀리가 편안하게 갈 수 있도록 아내를 안심시키면서 웃었다.

에밀리는 부모님께 작별 인사를 하고 준우가 묻혀 있는 공동묘지에 갔다.

"기분이 어때?"

줄리아가 물었다.

"어떤 기분?"

에밀리가 어깨를 으쓱하며 대답했다.

"내가 말했잖아, 잠에서 깨어났을 때 그가 죽었다는 것을 알고 놀랐다고."

에밀리는 한숨을 쉬었다.

"그냥 많은 것을 알고 싶었을 뿐이야. 주위에서 나를 대하는 방식, 왜 몇몇 사람들은 나와 연락을 끊었는지."

"너와 대화하는 걸 그만둔 적도, 친구였던 적도 없는 사람들"

줄리아가 불만스럽게 눈짓을 했다.

"그들 모두는 과거에 있었고, 특히 그들 중 몇몇은 내가 기억을 잃었다는 사실조차 몰라."

줄리아는 못마땅하게 입을 꾹 다물었다.

"네가 신경쇠약으로 병원에 입원했는데, 여기 이 바보들은 내 말을 믿지 않았어."

줄리가 흥분하고 있었기 때문에 에밀리는 먼저 그녀를 진정시키기로 했다.

"마이크와 리사는 어때?"

그런데 그들은 아직도 내가 모든 것을 기억하고 있다는 것을 알지 못한다. 그리고 그들 두 사람에 대한 언급은 줄리를 조금이나마 안심시켰다.

"그 두 사람은 진짜 네 친구다."

줄리가 말했다.

"알아."

에밀리가 대답하고, 몇 초 동안 생각한 후에, 그들에게 전화를 걸었다. 에밀리는 단지 그들에게 최근의 일들을 간단하게 이야기했다.

"우리는 지금 준우의 묘지에 가고 있어."

그녀의 말에 친구들은 주저하지 않고 모이기 시작했다.

"우리가 그들을 기다려야 한다고 생각해?"

웃고 있는 줄리가 물었다.

"응."

에밀리는 전화를 끊고 길을 따라 걷기 시작했다.

30분 후 에밀리의 친구들이 묘지에 도착했고, 에밀리의 친구들은 그녀를 기쁜 듯 껴안았다.

"에밀리, 어떻게 된 거야?"

리사가 물었다. 줄리와 에밀리는 처음부터 다시 이야기를 해야 했다.

"그래서 그의 묘지에 온 거야?"

마이크가 물었다.

"그래, 내 눈으로 확인해야 할 것 같아서…."

에밀리가 대답했다.

그들은 조용히 준우의 사진이 박힌 묘비가 있는 무덤으로 걸어 갔다. 에밀리는 놀랍게도 작년에 떨어진 나뭇잎을 휘감고 있는 묘비에 쓰인 글귀를 보고 울고 싶어졌다.

"영원히 사랑할 거예요."

에밀리가 천천히 읽어 내려갔다.

"잠깐만요……."

에밀리는 그 비문을 몇 번이나 더 읽었다.

"줄리, 누가 이 문구를 쓴 거야?"

"무슨 문구 말이지?"

줄리가 묘비에 다가가 글귀를 읽더니 충격으로 눈이 휘둥그레졌다.

"이 글씨는 없었어."

줄리는 모든 기억을 더듬어 보았지만, 이 글귀는 본 적이 없었다. 이후, 마이크와 리사가 도착했지만, 그들도 기억을 하지 못했다.

"당신은 그들에게 모든 것을 말했나요?"

누군가 목이 멘 목소리로 말했다. 네 사람 일제히 검은 옷을 입은 여인을 돌아보았다. 준우의 어머니였다.

"무슨 말씀이세요?"

에밀리가 놀라서 물었다.

"기억을 잃은 적이 없다는 걸."

여자가 대답했다.

"무슨 말씀이세요?"

줄리가 불만스럽게 물었다.

"에밀리가 준우를 얼마나 사랑했는지 알잖아, 너희들"

줄리아, 마이크는 리사가 무슨 말을 하는지 모르겠다는 얼굴로 그녀를 바라보았다.

"아마도 준우의 엄마보다 에밀리가 준우를 더 많이 사랑할 걸?"

"어떻게 에밀리가 엄마인 나보다 준우를 더 사랑할 수 있을까?"

여자가 소리쳤다.

"내가 준우의 엄마인데!"

"레베카, 왜 화가 났는지 알겠어요."

에밀리가 그녀의 말을 가로채며 말했다.

"하지만 나는 지금까지 진실을 말했고, 이 글을 쓰지 않았으며, 무슨 일이 일어났는지 정말 모르겠어요. "

레베카는 기가 막히다는 듯 웃었다. 에밀리에게 화가 난 것이 분명했다.

"에밀리. 네가 말했잖아. 준우가 너를 배반하고 떠나갔다고 많은 사람들에게 떠벌였잖아. 많은 사람들이 그가 죽었다는 것을 알았을 수도 있지만, 다른 사람들은 네 말을 듣고 준우를 나쁜 사람이라고 생각해."

에밀리는 마침내 그녀가 수 년 동안 무슨 짓을 했는지, 그리고 그녀를 미치광이라고 부르는 많은 사람들이 옳았다는 것을 깨달았다.

"레베카, 제가 한 일은 절대 돌이킬 수 없다는 걸 알지만, 부탁해요, 누가 이런 비문을 남겼는지 말해주세요, 네?"

에밀리는 애원하는 표정으로 레베카를 바라보았다.

"누가 그랬는지는 모르겠지만, 너 말고는 아무도 준우를 사랑하지 않았고, 아무도 여기서 이상한 사람을 본 적이 없어."

에밀리는 눈을 감았고, 머리가 아픈 듯 머리를 감싸 안더니, 곧 의식을 잃었다.

"에밀리, 여기서 뭐 해요?"

준우가 물었다.

"아무리 생각해도 이해가 안 가요, 너무 괴로워서 정신을 잃었을 뿐이야."

에밀리가 묘지를 둘러보며 대답했다.

"준우, 무슨 일이 있었는지 들었어? 나를 통해서 이들이 하는 말들을 들은 거지?"

그는 고개를 끄덕였다.

"영원히 지켜봐 줄 순 없으니까, 그녀가 너인지 아닌지 알 수는 없어"

"그게 가능할까?"

에밀리가 외쳤다.

"어떻게 하면 잊어버릴 수 있을까?"

준우는 한숨을 쉬었다.

"당신은 내 죽음을 잊었잖아."

"그건 달라."

준우는 에밀리에게 다가가서 그녀의 머리를 쓰다듬었다.

"우리는 그 사실에 대해 따지기 전에 우선 네가 현실로 돌아갈 방법을 찾아야 해."

에밀리는 고개를 끄덕였다.

"그래, 우린 우선 그것에 집중해야 해."

"여기서 한 가지 특징을 발견했어."

준우가 말했다.

"당신이 가고 싶은 곳에 도착한다면 당신이 현실 세계로 간다는 거야."

에밀리는 준우가 무슨 말을 하는지 이해할 수 없었다.

"우리가 처음 만났을 때, 당신은 발굴을 하고 싶어했고, 우리가 그곳에 도착했을 때, 당신은 다시 현실 세계로 들어갔잖아."

준우가 자신의 생각을 설명했다.

"이곳에 도착했을 때, 나는 그냥 잠을 자면서 지난 일을 잊고 싶었을 뿐이야. 그리고 내가 잠자리에 들었을 때, 현실에서 깨어난 거지."

에밀리가 다시 생각에 잠겼다.

"이제 어디로 가고 싶지?"

준우가 물었다.

"우리가 당신의 무덤에 도착했을 때, 내가 당신에 대해 얼마나 많은 나쁜 말을 했는지 기억났어. 그리고 당신의 어머니를 만났을 때, 내가 그녀의 입장이라면 결코 아들을 용서하지 않을 것이라고 생각했지. 그래서 나는 당신의 부모님 댁에 가고 싶었어."

준우는 명쾌하게 고개를 끄덕였다.

"가자, 이렇게 하면 너를 너의 세계로 다시 데려갈 수 있을 것 같아"

에밀리는 준우의 손을 잡았고, 준우는 학교 다닐 때 그랬던 것처럼 에밀리를 온전히 믿고 지지하기로 했다.

"준우, 내가 여기를 떠나면 무슨 일이 일어날까?"

다시 버스에 올라 앞좌석에 앉은 후에 에밀리가 물었다.

"그냥 평상시 대로 돌아가겠지."

준우가 덧붙였다.

"당신은 계속해서 발굴 작업을 할 것이고, 나는 그대로 여기에 있을 거야."

에밀리는 침묵을 지켰고, 그 남자가 무언가 생각하고 있는 것 같았지만, 굳이 묻지 않기로 결심했다.

버스는 한 시간 후에 도착했고, 준우의 집은 꽤 멀었다.

"도착"

준우가 말했다.

"집에 들러야 할 것 같아."

에밀리는 아무 일도 일어나지 않았다는 것을 알아차리고 말했다. 집에 들어갔는데 문이 잠겨있었다. 준우가 눈을 찡끗하더니, 돌을 집어 힘껏 창문을 향해 던졌다. 유리가 단단해서 깨지지 않자, 준우는 다시 창문을 향해 돌을 던졌다.

"됐다!"

준우는 기뻐하며 유리 파편들을 치우고 십으로 들이갔다. 돌아서서 그는 에밀리가 안으로 들어오는 것을 돕고 싶었지만, 그의 뒤에는 아무도 없었다.

준우가 창문을 두드리는 동안 에밀리는 집 뒤에 있는 어두운 그림자를 보았다. 그 그림자는 그녀를 발견하고는 겁에 질린 듯이 달리기 시작했다. 에밀리는 준우의 경고를 완전히 잊은 채 그를 따라 달려갔다. 그녀는 그의 시야에서 그를 잃지 않으려고 애를 쓰고 있었기 때문에 주변에서 일어나는 일에 전혀 주의를 기울이지 않았다. 그녀는 그를 쫓아 숲으로 20분 동안이나 달려 들어갔다는 것을 알아차리지도 못했고, 그 후에 그것은 시야에서 없어졌다.

에밀리는 마침내 주변의 나무들, 풀잎들, 또는 적어도 어떤 길도 나 있지 않다는 것을 알아차렸다.

"헤이, 누구…?"

그녀는 소리를 지르려고 했지만 잠시 후 아무도 그녀를 찾을 수 없다는 것을 깨달았다. 준우조차 그녀가 현실로 되돌아갔다고 생각하고 그녀를 찾지 않을 것이다.

에밀리는 머리를 때렸다.

"아니, 난 절대로 죽지 않을 거야!"

그녀는 비명을 지르며 이 상황에서 벗어날 방법을 생각해 내려고 애를 썼다.

"태양은 아직 지지 않아서 적어도 빛줄기는 볼 수 있어"

'그래 우리가 여기로 올 때 저녁 무렵이었으니, 지금도 저녁일 것이고, 그렇다면 태양이 지금 서쪽에 있다는 뜻이지'

에밀리가 중얼거리며 서쪽에 있는 태양을 나뭇가지들 사이로 바라보았다.

"우리가 준우의 집에 도착했을 때 태양은 그의 뒤에 있었으니 이제 반대 방향으로 가면 돼"

에밀리는 중얼거리며 돌아서서 똑바로 걸어갔고, 때로는 태양과 함께 자신의 방향을 가늠해 보았다.

"좋아, 이쪽 길인 것 같아."

에밀리는 숲 밖으로 나가기 위해 더 빨리 달렸다.

"맞았어!"

에밀리는 기뻐서 소리를 지르며 준우의 집 쪽으로 달려갔다.

그곳에 도착하자마자 그녀는 준우가 갑자기 없어진 그녀 때문에 분노와 걱정에 휩싸여 있다는 것을 알았다.

"에밀리, 어디에 갔던거야?"

그는 화가 나서 물었다. 그러나 그의 얼굴은 걱정으로 가득했다.

"이상한 그림자를 보고 뒤쫓아 갔는데 그 사람이 누구였는지 전혀 알 수 없었어."

준우는 긴장을 풀고 에밀리를 끌어안았다.

"걱정마. 난 다치지 않았어."

에밀리가 남자의 등을 토닥이며 말했다.

"너희 집으로 가자. 이제 여기서 나가야 돼."

준우가 소리를 지르며 문을 열고 에밀리를 밖으로 떠밀었다.

"그런데, 내가 현실로 돌아간 것이 아니라는 걸 어떻게 알았어?"

에밀리는 준우가 걱정했던 것을 떠올리며 물었다.

"당신은 당신의 세계로 돌아간 적이 없어."

준우가 대답했다.

"항상 여기 있으면서 가끔 다른 데로 순간이동을 하는 것뿐이지."

"그럼 내가 그냥 다른 곳에 있지 않다는 걸 어떻게 알았어?"

"현실 세계에서 깨어나야만 다른 곳으로 이동할 수 있는데, 네 눈을 통해 들여다보니 아무것도 보이지 않았어"

준우가 설명했다.

"그러게. 보다시피"

에밀리가 대답했고, 그녀는 현실로 옮겨지기를 바랐지만, 그렇지 않았다.

"왜 현실로 가지 않는 거지?"

에밀리는 놀랐다.

"내가 움직여야 하는 것 아니야?"

준우는 그녀의 말에 잠시 생각에 잠겼다가 미소를 지으며 대답했다.

"당신은 나를 속였어."

"준우, 나는 진실을 말하고 있어."

에밀리는 묘지에서 일어난 레베카와의 일 이후에 자신을 믿지 않는 사람들에게 불만을 가지고 있었다.

"나뿐만 아니라 너도 너 자신에게 속고 있으니까"

준우의 말은 에밀리를 당황하게 했다.

"진짜 네가 뭘 원하는지 말해봐"

준우가 망설임 없이 말했다.

"나는 정말 여기에 오고 싶었어!"

에밀리가 소리쳤다.

"당신 어머니께 사과하고 싶었어. 그게 내가 지금 원하는 전부야."

"거짓말"

준우가 단호하게 말했다.

"에밀리 당신도 그것을 원하지 않는다는 것을 알고 있잖아. 그런데 왜 거짓말을 하는 거지?"

준우가 화가 난 듯 씩씩거렸다.

"당신이 원하는 것을 사실대로 말해!"

준우가 소리쳤지만, 에밀리는 침묵했다. 소리를 지르고 싶지 않았을 수도 있고, 무언가를 보고 있었을지도 모른다.

에밀리의 침묵이 이어지자, 준우가 입을 열었다.

"그럼 내가 말할게."

그는 콧수염을 만지며 한숨을 쉬었다.

"나를 버리고 싶지 않은 거야, 그렇지?"

대답은 침묵일 뿐이었다.

"나 혼자 이 세상에 남겨두고 싶지 않아, 날 놓아주고 싶지 않아, 그렇지?"

에밀리의 뺨에 눈물이 흘렀다. 하지만 아무도 그녀의 가슴에서 무슨 일이 벌어지고 있는지 이해할 수 없었다.

"나도 혼자 여기 있고 싶지 않아."

준우가 솔직하게 말했다.

"근데 중요한 건 내가 이미 죽었다는 거야"

마지막 말은 에밀리를 떨게 했다.

"아직도 받아들일 수 없는 거야?"

준우가 부드럽게 물었다.

"네 말이 맞아!"

에밀리가 갑자기 소리쳤다.

"나는 네가 다시 사라지는 것을 원하지 않는다. 나는 네가 내 마음 어딘가에 살고 있다는 것을 알고, 나는 너에게 다가갈 수 없다는 것도 알아."

에밀리는 오열했다.

"입장을 바꿔 생각해 봐. 만약 내가 몇 년 동안 실종되고 나서 나를 만난다면, 너도 내가 정말 죽었다는 것을 알게 될 거야. 그리고 나는 너에 대해 험악한 소문을 퍼뜨렸어."

잠시 침묵이 흘렀다.

"그래, 난 네가 그때 어땠었는지 자세히는 모르겠어."

준우가 말했다.

"자세히는 모르겠지만 어떤 기분이었는지는 알 것 같아"

준우는 속삭이며 마지막 말을 덧붙였다.

"에밀리 네가 나에 대해 나쁜 말을 한 5년 동안, 나는 당신을 따라다녔고, 친구들과 가족들이 충격을 받은 얼굴을 보았어. 그때부터 나는 당신을 증오하기 시작했지. 어떻게 된 일인지 모르지만, 운 좋게도, 나는 당신이 기억을 잃었다는 사실을 알지 못했어."

그 순간 에밀리는 충격으로 입이 벌어졌다.

"그리고 여기서 당신을 만났을 때, 즉시 복수를 생각했지만, 당신이 내 죽음을 모르고 있다는 것을 알았던 거야."

"에밀리에 대해 미움의 감정을 가질 수밖에 없는 나를 얼마나 미워했는지 몰라."

그들은 다시 침묵했고, 그 순간 말로 표현할 수 없을 정도로 많은 감정들이 요동쳤다.

"용서해 줘."

"용서해 줘."

그들은 서로가 서로의 얼굴을 바라보며 시원스레 웃으며 말했다.

"준우, 진짜 하고 싶은 말을 바로 하지 않은 것을 사과하고 싶어"

에밀리가 시선을 아래로 떨어뜨렸다.

"너한테 너무 심하게 대해서 미안해"

준우는 그녀의 진심 어린 사과에 미소를 지으며 소녀의 머리를 쓰다듬었다.

"그런데 더 큰 문제가 있는 것 같아"

준우가 정신을 차린 듯 말했다.

"어떻게 하면 당신을 현실로 돌려보낼 수 있을까?"

"너의 바람대로라면 아무것도 이룰 수 없어, 나를 다시 살려야 하는데 그건 할 수 없잖아."

준우는 그것을 농담처럼 던지려고 했지만, 오히려 분위기를 더 어색하게 만들었다.

"그럼 또 에이미 네가 뭘 원하는지 생각해보자"

준우가 제안했다.

"먼저 자."

에밀리가 창밖을 내다보며 대답했다. 밖은 이미 어둠이 깔려 있었다. 준우와 에밀리는 각자 집으로 돌아갔다.

에밀리는 줄리의 옆에서 잠이 깼다. 머리가 깨질 듯 아팠다.

"어제 무슨 일이 일어난 거지?"

에밀리는 잠에서 깨어나 생각에 집중하려고 애쓰며 침착하게 묻는다.

"네가 기절해서 우리는 너를 데리고 집으로 왔어."

줄리는 대답을 하면서 다른 방에서 자고 있는 리사와 마이크를 불러서 에밀리가 깨어났다는 것을 알렸다.

"우리 병원에 가는 게 낫지 않을까?"

줄리가 뭐라고 말하기 전에 마이크가 그녀에게 말했다.

"의사는 이미 그녀가 쉬지 않으면 이런 날이 올 수 있다고 말했어."

줄리가 친구들에게 몸을 돌리며 윙크를 했다.

"오늘은 모두 좀 쉬어야 할 것 같아."

친구들은 알아들었다는 듯 서둘러 집을 나섰다.

"왜 그들에게 거짓말을 했어?"

친구들이 떠났을 때 에밀리가 물었다.

"에밀리, 무슨 꿈을 꾼 거야?"

줄리아가 물었고 에밀리는 거짓말을 하고 있었다.

"아니. 꿈, 꿈이라니"

에밀리가 대답했지만, 그녀의 언니는 믿지 않았다.

"에밀리, 꿈에서 준우를 만나서 무슨 말을 들은 거야"

줄리아는 에밀리의 눈을 똑바로 쳐다보았다.

"에밀리, 무슨 꿈을 꾸었어?"

줄리아가 다시 물었다. 에밀리는 마침내 그녀가 환상 속에서 그녀에게 일어난 모든 일을 줄리에게 말했다.

"잠깐만, 그럼, 그동안 환상의 세계를 돌아다니며 나에게 아무 말도 하지 않은 거야?"

에밀리는 놀랐다.

"나는 언니도 나를 믿지 않을 거라고 생각했어."

그녀는 솔직하게 인정했다.

줄리는 에밀리가 그녀의 남자친구 준우와 준우의 죽음에 대해 모든 것을 기억하지는 못한다는 것을 깨달았다. 줄리아는 미소를 지었다.

"하지만 어쨌든 에밀리. 너는 환상의 세계에서 현실의 세계로 돌아와야 해."

에밀리는 또다시 머리가 아팠다.

"괜찮아?"

"아니. 준우가 내 눈을 보면 머리가 아파"

줄리가 알았다는 듯 고개를 끄덕였다. 그리고는

"이봐, 준우, 그만둬! 더이상 에밀리를 괴롭히지 말아줘."

줄리가 소리치자, 에밀리의 머리는 더이상 아프지 않았다. 그제야 에밀리가 미소를 지었다.

"에밀리, 우린 널 현실 세계로 어떻게 끌어넣을지 결정해야만 해"

에밀리는 줄리를 떠올렸고 그때 생각했다. 그녀가 하고 싶었지만 그러지 못한 유일한 것은 준우의 엄마에게 용서를 구하는 것이었다.

"레베카에게 갑시다."

에밀리가 제안했다. 줄리는 그 제안을 별로 좋아하지 않았지만,

자동차를 향해 걷기 시작했다. 에밀리 그녀를 따라갔다. 마침내 차는 준우의 집을 향해 미끄러졌다.

"왜 레베카의 집에 가자는 거야?"

줄리아가 불만스럽게 마이크와 리사에게 레베카의 집으로 오라고 메시지를 보내며 말했다.

"나는 5년 동안 그녀의 아들에게 끔찍한 말을 했어. 사과만이 내가 할 수 있는 일이라고 생각해."

레베카의 집에 도착하면 줄리가 에밀리 대신 소개를 하기로 했다. 레베카가 그동안 아들에 대한 끔찍한 말을 들으며 어땠을까? 에밀리는 걱정이 되었다. 적막을 깨며 줄리가 말했다.

"빈손으로 남의 집에 가는 건 예의가 아니야"

줄리는 근처 상점으로 갔다.

"작은 선물이라도 사자."

에밀리와 줄리는 근처 상점으로 가서 주스 한 박스를 샀다. 레베카의 집 근처에서 에밀리는 숨을 깊이 들이마시며 노크를 했다. 하지만 아무도 문을 열지 않았다.

"그녀가 집에 없는 걸까?"

줄리는 에밀리가 어깨를 으쓱하자, 레베카를 기다리기로 했다. 에밀리는 태양을 바라보았다. 아직은 해가 동쪽에 있었다. 갑자기 그녀는 레베카의 집 바로 뒤에 있는 숲에 귀를 기울였다.

"에밀리, 어디 있어?"

줄리아가 놀라서 물었다.

"거기서 잠깐만 기다려."

에밀리가 숲으로 조용히 들어가 익숙한 길을 따라가는 동안 줄리는 차에 남아있었다.

그녀는 환상 속에서 보았던 그림자가 없어진 곳에 도달할 때까지 걸었다. 그러나 안타깝게도 에밀리는 이곳에서 아무것도 발견하지 못했다.

"내가 왜 여기 왔지?"

에밀리는 스스로에게 물으며 돌아섰을 때, 땅에 그녀의 시신이 누워 있는 것을 보았다.

"헉 무슨 일이지?"

그녀는 겁을 먹었다.

"매우 간단합니다."

에밀리는 소리 나는 쪽으로 몸을 돌렸는데, 그녀가 꿈속에서 보았던 그림자가 서 있었다.

"당신은 누구입니까?"

그녀는 도망갈 준비를 하면서 거칠게 물었다. 비록 그는 몸 전체를 완전히 가리는 망토 속에 있었지만, 그의 큰 체격으로 보아 남자인 듯했다.

"에밀리, 정말 날 잊었어?"

그가 후드를 천천히 내렸다.

"그럴 리가 없어."

에밀리는 그림자의 정체가 그녀의 아버지인 것을 확인하고 순간 입을 다물었다.

"아빠!"

에밀리는 즉시 그에게 달려가 그의 품에 안겼다.

"아빠도 여기에 왔나요?"

에밀리가 묻자, 그녀의 아버지가 그녀의 머리를 쓰다듬으며 대답했다.

"중요한 건 지금 너와 함께 있다는 거야"

에밀리의 아버지 조지도 딸의 시신이 땅에 누워있는 것을 보았다.

"할 말이 있어서 여기로 왔어."

조지와 에밀리는 자리에 앉았다.

"우리가 지금 어디에 있는지 알아?"

조지가 묻자, 에밀리는 고개를 저었다.

"너를 이곳으로 데려온 사람은 나야. 이곳은 현실 세계로 돌아갈 수 있는 유일한 곳이고, 몸으로 돌아가려는 의지가 있어야 마음과 몸이 다시 하나가 될 수 있지"

이 말에 에밀리는 너무 기뻐서 일어서려 했지만, 그 남자는 그녀의 팔을 세차게 잡았다.

"에밀리, 무슨 일을 하고 있는지 상상할 수 있어?"

조지가 거칠게 물었다.

"아빠, 무슨 소리예요?"

에밀리는 서둘러 현실로 가고 싶었지만, 아버지의 겁먹은 시선이 그녀의 마음을 돌렸다.

"네가 그렇게 하면 이 세상은 파괴되고, 준우와 나도 없어질 거야"

에밀리는 아버지의 말을 곰곰이 생각했다.

"그렇다면 제가 여기 머무르면 어떻게 될까요?"

에밀리가 한참 동안 고민하다가 물었다.

"내가 사라질까?"

"누가 너에게 그런 말을 했니?"

조지가 물었다.

"현실 세계에서는 혼수상태에 있겠지만, 너의 환상의 세계에서는 영원히 살 수 있어."

에밀리가 물었다.

"그런데 왜 준우는 나에게 아무 말도 하지 않았을까요?"

"그냥 준우도 널 사랑하고 있다는 사실을 의심하지 않았으면 좋겠어."

"그럼 내가 할게."

에밀리가 자신 있게 말했다.

"근데 그 전에 인사드리고 싶어요."

조지는 미소를 지으며 소녀의 머리를 쓰다듬었다.

"아빠만 결정하세요."

에밀리는 아버지에게 감사를 표했고 그들은 함께 숲 밖으로 나갔다.

준우는 레베카의 집으로 달려가며 소리를 질렀다. 어둠이 삼켜 버린 거리는 그들의 사이가 점점 가까워지고 있음을 알지 못했다.

"그에게서 떨어져!"

그들이 한 뼘만큼 다가섰을 때 준우가 소리쳤다. 에밀리가 눈을 껌뻑이고 있을 때 그녀의 머리에 권총의 차가움이 느껴졌다.

"움직이지 마!"

조지가 소리쳤다.

"그렇지 않으면 에밀리를 쏘겠어!"

준우는 조지가 말 대로 두 손을 위로 들어 멈추었다.

"당신은 당신이 그녀를 쏜다면 에밀리가 사라질 것이라는 것을 알고 있나요?"

준우가 물었지만, 조지는 신경 쓰지 않았다.

"입 다물어! 에밀리는 여기서 떠나지 않을 거야!"

겁에 질린 에밀리는 서서히 사라지기 시작한 자신의 손을 바라보았다.

"에밀리, 넌 사라지고 있어!"

"당신은 아직도 그를 믿나요?

에밀리는 아버지를 힐끗 쳐다보더니 머리를 숙였다.

"조지, 왜 그러세요?"

준우가 물었다.

"그녀는 그럴 자격이 있어!"

조지는 에밀리의 머리에 총을 겨누며 소리쳤다. 준우는 곰곰이 생각해 보다가 드디어 퍼즐을 풀었다.

"에밀리, 어떻게 생각해?"

준우가 침묵을 깨며 물었다.

"에밀리, 그 남자는 네 아버지가 아니야."

하지만 에밀리는 준우가 무슨 말을 하는지 이해할 수 없었다.

"나 같은 유령이 아니라 네가 만든 존재야"

에밀리는 다시 한번 그녀의 머리에 총을 겨누고 있는 남자를 바라보며 그제야 준우의 말을 믿었다.

"하지만 어떻게 그럴 수 있지?"

에밀리가 물었지만, 준우는 너무 멀리 떨어져 있어서 들을 수 없었다. 잠시 생각한 후에 에밀리는 마침내 자신이 해야 할 일이 무엇인지 깨달았다. 그녀는 그녀의 모든 생각과 몸을 긴장시키면서, 자신이 원하는 것에 집중했다. 잠시 후 권총이 조지의 손에서 사라졌다.

"달려!"

에밀리는 조지를 밀치고 준우의 팔을 잡으며 외쳤다. 그들의 유일한 은신처는 준우의 집이었고 그들은 즉시 달려갔다.

"어떻게 한 거야?"

놀란 준우가 물었다.

"준우, 너랑 나랑 얼마나 사랑하는지 이제야 알았어."

에밀리가 기뻐하며 외쳤다.

"무슨 소리야?"

준우가 에밀리가 무슨 뜻인지 모른다는 듯 물었다.

"이건 내 환상이야!"

에밀리는 설명 대신 짧게 외쳤고, 잠시 후 권총이 어디에 나타났는지 보여 주기 위하여 손바닥을 쥐었다 폈다를 반복했다.

"이건 내가 만든 세상이야, 언제든지 여기에 올 수도 있고 나갈 수도 있어"

에밀리가 생각을 집중했다.

그 순간 총알이 에밀리를 지나 창문을 깨뜨렸다.

"무슨 일이야?"

준우가 의아하다는 듯 물었다.

"내 잠재의식 속에서 만들어졌기 때문에, 그도 힘이 있는 것 같아."

에밀리가 대답했다.

"어떻게 해야 하지?"

준우가 에밀리의 사라지는 손을 걱정스럽게 바라보며 물었다.

"이런, 나 못 쏠 것 같아…."

에밀리가 망설였다.

"너도 돌아가고 싶다고 했잖아.“

준우가 상기시켰다.

"하지만 나는 여전히 돌아갈 수 없어."

또 다른 총성이 들렸다.

"이제 더 이상 시간이 없어."

준우는 에밀리의 대답을 기다리며 그녀에게서 총을 빼앗아 갔다.

"행운을……."

그녀가 마지막으로 준우를 껴안으며 속삭였다.

"우리 각자 할 일이 있을 거야"

준우가 대답했다.

조지는 준우와 에밀리를 거리로 내쫓기 위해 창문을 향해 여러 번 총을 쏘았다.

"나가버려!"

조지가 소리쳤지만, 소용이 없었다.

"준우, 내 말 들어, 너랑 나랑 같은 상황이야, 그렇게 생각하지 않아?"

조지는 잠깐 권총을 아래로 내려놓고 협상을 시작했다.

"우리는 영원히 이 세상에 갇혀 버릴 거야."

조지는 호흡을 하기 위해 잠시 멈췄다.

"에밀리는 우리를 잊은 지 오래됐어, 생각해 봐. 그녀는 그것이 우리를 죽일 것이라는 것을 알면서도 현실로 돌아가고 싶어 해!"

조지가 점점 더 집 가까이 다가오기 시작했다.

"아니면 그녀의 새 아버지를 아버지로 생각하는 거야!"

조지는 다시 한번 집 벽 쪽으로 총을 쏘았다.

"저는 이 바보들을 믿고 있었어! 하지만 아내, 딸들은 모두 날 잊었어!"

"그래서 아빠가 그렇게 화가 난 거예요?"

에밀리가 갑자기 조지의 뒤에서 불쑥 나타났다.

"바로 그거야!"

"너는 나를 잊었기 때문에 아무 죄책감 없이 나를 죽이려 하는 거야."

조지는 그녀에게 총을 겨누었다.

"아빠, 저는 당신을 잊지 않았어요."

에밀리가 대답했지만, 그녀의 아버지는 그녀를 믿지 않았다.

"거짓말이야! 거짓말이야! 너는 엄마가 새 남편을 맞이하자 그 남자를 아빠라고 부르기 시작했어."

"네, 맞아요!"

에밀리가 소리쳤다.

"왜냐하면 나는 엄마를 사랑하기 때문이에요! 당신은 그것을 보지 못했을 수도 있고, 어쩌면 당신은 모를 수도 있지만, 나는 끝까지 그를 반대했던 유일한 사람인걸요!"

에밀리의 말에 조지가 잠시 멈칫했다.

"그렇지만 그녀가 고생하는 것을 보고 계속 반대할 수는 없었어요."

에밀리는 그녀의 아버지가 죽었을 때 그녀에게 일어난 모든 일을 떠올렸다.

"왜 웃어요!"

어린 에밀리는 5살 때 어머니를 향해 소리치고 있었다.

"아빠는 죽었고, 다시는 우리와 함께하지 못할 텐데 당신은 미소를 짓고 있나요?"

소녀는 울면서 소리치며 자기 방으로 달려갔다. 그날 밤, 그녀는 잠에 들지 못하고 뒤척거리다 물을 마시기 위해 부엌으로 나갔다가 조지의 사진 위에 엎드려 눈물을 흘리는 어머니를 보았다. 소녀는 발을 돌려 조용히 침대로 들어가 최근 엄마에게 퍼부었던 말들을 생각했다. 다음 날 아침, 어린 에밀리는 엄마에게 다가가서 엄마를 꼬옥 안아 주었다.

5년 후, 한 남자가 그들을 방문하기 시작했는데, 에밀리는 그녀의 어머니가 그가 그녀의 남자친구라는 것을 고백할 때까지 그는 그녀의 친구일 뿐이라고 생각했다. 에밀리는 처음에는 그를 좋아했지만, 엄마의 남자 친구라는 걸 알고 나서는 좋아할 수가 없었다. 줄리는 에밀리가 웃는 모습을 좋아하지만, 에밀리는 웃을 수 없었다.

"새 아빠를 어떻게 데려오세요!"

에밀리가 외쳤다.

"에밀리, 제발 진정해."

줄리가 에밀리를 껴안으려고 했지만, 그녀는 그녀를 밀치고 그녀의 방으로 들어가 버렸다. 줄리가 따라 들어와 말했다.

"엄마가 행복하기를 바라지 않아?"

"하지만 아빠는?"

에밀리가 되물었다.

"그는 영원히 우리의 아버지로 남을 거야."

줄리아는 침착하게 대답하고 울부짖는 에밀리를 껴안았다. 에밀리는 차차 엄마 남편을 대하는 것이 수월해졌다. 그는 항상 우리를 도왔고, 가끔 농담을 했다. 에밀리는 언젠가 우연히 그를 아빠라고 부를 때까지 그와 함께 시간을 보내는 것을 좋아한다는 생각을 피하려고 해보았지만, 점점 그를 새아빠로 받아들이게 되었던 것이다. 에밀리는 마음을 가라앉히고 여전히 총을 들고 서 있는 조지를 바라보았다. 조지의 뺨에 눈물이 흘러내렸다.

"엄마가 행복해야 우리 모두가 행복할 수 있어."

조지는 동의한 표정으로 고개를 끄덕이더니 권총을 자신에게 겨누었다.

"우리가 결국 해냈어."

에밀리는 기뻐서 숨을 내쉬더니 이내 기절해 버렸다. 그녀는 숲에서 깨어나, 그녀 앞에 있는 어릴 적 자신과 마주했다.

"왜 그렇게 쉽게 놓아주셨어요?"

어린 에밀리가 불만스럽게 물었다.

"그게 모두에게 더 좋을 거야."

"당신도 엄마와 새아빠를 싫어하잖아요!"

아이가 세차게 머리를 흔들며 말했다.

"사랑해, 진심으로"

에밀리가 대답하자 아이는 울기 시작했다.

"우리는 준우와 끝까지 함께 하겠다고 약속했어."

"그런데 지금 네가 그 약속을 어기고 있어"

에밀리는 일어서서 어린 에밀리를 껴안았다.

"아빠는 5살 때 죽었고, 우리는 그를 놓아주어야 해"

소녀는 어른이 된 자신의 품에 안겨 더욱 크게 울었다.

"그는 항상 우리를 사랑할 것이고, 우리는 항상 그를 사랑할 거야"

줄리아는 숲에서 웃으며 나오는 에밀리를 만났다.

"준우는 더이상 없어."

에밀리는 그녀가 숲으로 들어갔을 때 무슨 일이 일어났는지, 그리고 조지가 그들을 총으로 쏘는 동안 그들이 준우와 나눈 모든 이야기를 줄리에게 말했다.

"준우, 그는 미쳤어! 난 절대 그에게 가지 않을 거야"

에밀리가 말했다.

"에밀리, 이건 귀신이 아니라 네 환상이야 그냥 놔둬야 돼."

에밀리는 한숨을 쉬었다.

"좋아 내가 해볼게."

에밀리가 조지를 만나러 가기 위해 일어서자, 준우는 갑자기 그녀를 끌어안았다.

"에밀리, 나 너한테 하고 싶은 말 있어"

준우가 잠시 멈췄다.

"그를 없애자마자 나를 놓아 줄 힘이 있어야 해"

에밀리는 고개를 힘껏 저었다.

"절대 안 돼! 준우, 무슨 말인지 알겠어? 내가 널 죽이라고 말하는 거야!"

"하지만 난 이미 죽었어."

준우가 다시 한번 사실을 상기시켰다.

"난 할 수 없어."

에밀리가 울부짖었다.

"절대로 널 죽일 수는 없어"

준우는 그녀를 더욱 세게 끌어안았다.

"에밀리, 넌 강한 여자야, 그냥 거기서 널 기다리고 있는 가족을 떠올리면 돼, 현실에서"

에밀리는 간신히 고개를 끄덕이며 이곳을 떠나기로 결심했다.

"내 마지막 날인 것 같아"

준우는 혼잣말을 한 후, 벽에 기대어 그가 사라지기를 기다렸다.

"영원히 사랑할 거예요."

준우의 총을 든 오른손이 올라가더니 잠시 후 총성이 울렸다.

줄리아는 에밀리를 애타게 바라보았다.

"에밀리, 정말 미안해."

"그건 내가 사과해야 할 일이야."

줄리아가 모두를 돌아보며 말했다.

"에밀리가 드디어 슬픔을 이겨내고 우리에게 돌아왔어요."

"여러분 모두 감사해요."

에밀리는 미소를 지으며 언니를 껴안았다.

"내가 가진 것 중 언니가 가장 소중해…."